34 明代
西元 1368～1643 年　［注音本］

全新 吳姐姐講歷史故事

吳涵碧◎著

目錄

【第724篇】張昺謝貴圍攻燕王府。

話說張信夜探燕王府，交出惠帝命他速謀燕王的密詔，並且誠懇地向燕王表白心跡。

燕王握緊了拳頭，自言自語：『如今是箭在弦上不得不發。』他立刻急傳道衍入宮，共商大局。

正當燕王傳令召見道衍，忽然之間，陰風怒號，烏雲密佈，緊接著嘩啦嘩啦下起了大雨。自燕王有記憶以來，從未見過如此的風大雨急。

雨點像炮彈一般，重重地打在屋頂上，窗外彷彿有虎嘯猿啼。燕王府裡，用來遮蓋鑄造武器聲音的鴨鵝們也被嚇著了，拍著翅膀，咿啞地叫鬧著，『哐』的一聲巨響，原來是簷瓦墜地，眞是驚心動魄。

突如其來的狂風暴雨，把燕王的臉嚇得慘白，他想起了民間傳說，『凡是不孝之子，必遭天打雷劈。』莫非，他想要叛君，老天爺不容，想到這兒，燕王全身發起抖。

此時，道衍匆匆步入，他看過了密詔，面有喜色道：『有了這密詔，可以向天下人表示，不顧叔姪之誼的，不是王爺，而是當今天子啊。王爺，您還有什麼好猶疑不定的？』

燕王吞吞吐吐才說出：『天地變色，莫非是不祥之兆？』

道衍用手揮除了臉上的雨滴，他開懷笑道：『王爺您錯了，這正是大吉大利，飛龍在天，從以風雨。屋頂瓦墜，表示將易黃也，天下要換皇帝了。』

道衍這張嘴，眞能把死的給說成活的，事到如今，燕王也別無選擇，惠帝派了一個張信不成，可以再派一個，再來的一個，未必會向燕王輸誠啊。

一會兒，布政司吏李有直緊急求見，他驚恐萬狀地向燕王報告：『張昺已將衛卒與屯田軍士，布列在整個北京城中，並且飛章奏聞皇上，臣冒著危險，把奏章給偷來了，王爺請過目。』

燕王接過，匆匆一瞥，立刻急呼：『命張玉、朱能率領八百衛士，入府中護衛。』

七月初，惠帝下了一道詔令：『逮捕燕府官屬。』於是，張昺、謝貴率領衛士，一圈又一圈，把燕王府層層密密地圍繞著，並且展開了飛箭攻勢。

箭矢如飛蝗雪片般飛入燕王府，府內亂成一團，急忙搭起牛皮，那些箭矢，雖然來得猛密，黏著軟皮，也就不能動彈了。但是，一時之間，燕王府內，找不出太多張牛皮，著實傷腦筋。

張玉、朱能等人，站在牆上，往外一看，哇，旌旗蔽日，金鼓喧天。而且，火銃、火炮、火箭、烏嘴噴筒等武器，全部一一架設起來，大小將官，腰跨寶劍，排列在城牆外。似乎準備大幹一場了。

燕王這時已毫無瘋樣，他沈著地詢問燕王府外部署的情形，皺眉道：『事出匆促，府內兵力有限，我擔心寡不敵眾。』

朱能想了一會，一語中的：『擒賊先擒王，若是能夠把張昺、謝貴抓了來，其他人就沒有什麼辦法了。』

『說得好，問題是，我們困坐府中，怎麼方便去外面找人。更何況，誰曉得張昺、謝貴這兩個小子藏在那兒。』燕王皺著眉說。

眾人又陷入一片沈默之中。

忽地，道衍向燕王擠擠眼睛，賊光閃閃，燕王知道道衍有主意了，又不願意當面說，免得走漏了風聲。

於是燕王清一清喉嚨，下了逐客令：『各位分頭去想想主意吧。』

等到『閒雜人等』都清場了，道行這才彎下脖子，在燕王耳邊輕聲道：『朝廷不是下令，要抓拿王府裡的官屬嗎？那麼，王爺就把人交給他們吧！』

燕王睜大了眼睛，狐疑地看著道行：『尚未交手，我們就認輸了？』

『不然。』道行露出一絲詭祕的笑容：『詔命中有誰，王爺就交誰出來。只不過，王爺可命令謝貴、張昺二人親自到王府拿人。他們一來，找個大力士上前一撲，問題不就解決了。』

『高招！』燕王大樂，重重拍擊道行的肩膀：『到底還是你行。』

原來，惠帝雖然下令，只是要逮捕燕王官屬，但是明擺著是衝著燕王來的，畢竟，燕王仍然是堂堂北平封國之王，張昺是北平布政使，謝貴是北平都指揮使司，都歸燕王節制。於是，燕王戲劇化地宣稱：『身體康復。』召見張昺、謝貴。當然，張昺、謝貴二人知其有蹊蹺，不肯來。燕王派了中使（燕王府內的宦官）拿出逮捕名册，命張謝二人到燕王府來拘捕人犯。這下子，張昺和謝貴不得不硬著頭皮進了燕王府。

到了燕王府，燕王扶著拐杖，臉上似乎還有病容，賜宴行酒，安排了一場極爲豐盛的菜肴，菜色之精美，讓在場賓客讚不絕口。大夥摸著圓滾滾的肚皮，頻呼：『菜太好了，吃得太飽了。』

『那麼，吃點水果幫助消化。』侍衛推出一車瓜果，燕王揀了一個，敲一敲，掏出一把利刃，一刀切了下去，突然，他臉色一變：『今日老百姓還知道兄弟家族之間要彼此體恤，互相照顧，身爲天子親屬，旦夕之間，倒可能丟了性命，天下什麼事做不得？』說著，把瓜丟到地上，鮮紅的瓜汁濺滿了一地，兩旁的大力士一擁向前，揪住張昺、謝貴的脖子，綁了下去。

燕王憤憤地把拐杖一扔：『我那有什麼病，發什麼瘋，還不是全被這批奸臣給逼出來的。』

張昺、謝貴被綁入大牢，還巴望著惠帝能來搭救，不料燕王立刻下令，即時處死，免留後患。

閱讀心得

【第725篇】靖難之變。

燕王殺了張昺、謝貴以後，走上了不歸路，非叛不可了。

於是，燕王在道衍一手導演之下，正式舉兵。他一面上書向朝廷訴冤，一面誓師起兵，理由是冠冕堂皇的——『清君側』。『清君側』的意思是說君王旁邊有奸佞之臣，必須清除乾淨。

燕王並且引用明太祖朱元璋留下來的祖訓：『朝無正臣，內有奸惡，則親王訓兵待命，爲天子討平之。』他還是幫惠帝的忙哩！

燕王自署官職，不用惠帝建文年號，仍稱洪武三十二年（這時是建文元年七月），他把自己的部隊稱爲『靖難之師』。靖是使之安定，靖難就是平定災難。

燕王起兵之後，先攻通州，再下薊州，都督指揮馬宣被俘不屈，大罵而死。燕王並且輕易地拿下居庸關。

居庸關是天險，扼北平的咽喉，是古來兵家必爭之地。退守懷來的都督宋忠，爲了想把居庸關自燕王手中奪回來，他想了一條毒計。

宋忠手下的部隊，多半原本是燕王府中的護衛壯士，一共有三萬名，惠帝爲了削弱燕王力量，下令調給宋忠。

宋忠故意用悲痛的語氣，對大家宣佈：『燕王素行殘忍，因此，把諸

位留在北平的大小，全給殺了。』

話還沒說完，底下已經有人嚶嚶地哭了起來，舉起拳頭，高聲嚷叫：

『我們是奉命調往開平，燕王太過分了，我們要報仇！』

『對！我們要報仇！』

『好，咱們把居庸關給搶回來。』

宋忠見計奏效，浮起了志得意滿的微笑。

另一方面，燕王也得到了消息，他撚鬚而笑：『咱們來個將計就計。』

當宋忠人馬，含著悲憤，往前直衝。到了居庸關口，只見燕軍隊伍最前面的，有八十老翁，有十二、三歲的小男生。原來全是宋忠部下的家人。

彼此見了面，非但不開打，而且忙著認親敍舊：『張伯伯，您見著我父親嗎？』一個小男生開口問道，他的年紀小，個子矮，穿上軍裝還眞滑稽。

『哪，你父親不在前面嗎？』

父子相見，緊緊摟在一塊，場面感人。

也有那八十老翁，在隊伍之中，見到了兒子，兒子放聲痛哭：『我還以爲，還以爲您被殺了。』

『呸！誰咒我，你媳婦上個月還生了一個胖兒子呢。』

『眞的？這個宋都督眞是亂講話，害死人。』

『還不趕快回家，見你的胖兒子。』

『好。』說著，放下武器，歡天喜地叫道：『回家囉！』

『對，回家囉！』一呼百諾，個個都拉著親人，帶著『劫後餘生』的喜悅，回到北平老家。

宋忠原先預料的一場敵愾同仇的搏命廝殺，竟然演變成爲甜美溫馨的認親大會。這場仗也就不必打了。緊接著，遵化、永平等地，紛紛歸附燕王，一時之間，燕王聚衆數萬人，聲勢大振。

這時候，惠帝也接到了燕王的上書，惠帝急著找齊泰、黃子澄商量。他二人異口同聲道：『如今燕王不用建文年號，擺明了是叛亂造反，第一件事，當然是削他的官爵，宣佈他的罪狀，公開討伐。』

惠帝是軟心腸的皇帝，面有難色道：『這樣，不太好吧。』

『什麼不好，必須明明白白的告示天下，讓天下人都知道燕王現在不是什麼燕王了，他是亂臣賊子，人人得而誅之。』齊泰愈說愈激動，一張臉脹得通紅。

黃子澄在一旁，同樣是怒不可遏。他二人自認爲一心一意爲明太祖保存江山，竟然被燕王斥責『朝無正臣，內有奸惡。』也就是指他們是奸臣，是可忍，孰不可忍也。

在這個危險萬狀的節骨眼上，惠帝最有興趣的，竟然是與方孝孺討論周官法度，對這些打打殺殺的事，他聽著便心煩，總是對齊泰、黃子澄說：『一切偏勞二位愛卿。』

齊、黃二人也是一個頭兩個大，他們原本也是文弱書生，不曉軍事，尤其糟糕的是，明太祖爲了保護惠帝，把所有會打仗的功臣，幾乎全給殺光了。太祖是天天憂慮功臣謀反，如今是兒子燕王謀反，孫子惠帝倒反而孤立無援了。

揀來選去，找不到合適可用的大將，最後，齊泰一橫心道：『不如起用耿炳文。』

『耿炳文成嗎？他已經六十五歲了，而且聽說最近身體也不太健朗，八月酷暑天，要他老人家再効命沙場，實在殘忍。』黃子澄不表同意。

『那麼，依你之見呢？』齊泰虛心地請教。

黃子澄想了一會，黯然搖頭：『也只有廖化作先鋒了。』

耿炳文寶刀已老，但是，臨危受命，也不敢推辭，領了三十萬大軍，浩浩蕩蕩要出發。臨行之前，拜別惠帝。

按理說來，惠帝應該說幾句鼓勵的話，祝福他們旗開得勝，馬到成功。但是，惠帝是個飽讀詩書的仁厚君子，他竟然對耿炳文說：『昔日蕭繹舉兵入京，曾對部下說：「自家人用兵，互相打殺，是最不祥的事。」現在你們與燕王對壘，千萬記住，不可以加害燕王，毋使朕有殺叔之名。』

由於惠帝這一番『毋使朕有殺叔之名』的話，遂使得耿炳文打仗的時候，不敢放手一搏。

閱讀心得

【第726篇】

耿炳文老將出馬。

燕王發動靖難，正式用兵。惠帝這方面也在京城內發出詔書，公告天下：『削燕屬籍（把燕王從宗室的名冊中刪除）降為庶人（老百姓），派耿炳文為征虜大將軍，聲罪致討。』

於是，六十五歲的耿炳文，領了三十萬大軍，再上沙場。想當年，耿炳文少年時代，替朱元璋守浙江，長達十年之久，與張士誠的大軍對壘，大小數十戰，無不大勝，眞是威風八面。如今，精神體力大不如前。可是，畢竟是碩果僅存的老將軍，不得不拚了老命向前衝。

耿炳文遣將用兵，命潘忠駐守鄭州，楊松守雄縣。

燕王派人去耿炳文營中探聽軍情，探聽的結果是：『軍隊雜亂無章，毫無紀律，潘忠、楊松有勇無謀，不妨先取潘楊二人。』

燕王得到這份情報，決定先攻雄縣，再取鄭州。於是下令燕軍南下。當部隊渡過白溝河之後，燕王宣佈：『今晚是八月十五中秋夜，他們一定在飲酒作樂賞月，讓我們突襲雄縣。』

當天夜晚，楊松的軍士們，果然喝得醉醺醺，七歪八倒，只想睡個舒舒服服的好覺。不料，燕軍竟放棄中秋節的享受，前來偷襲，而燕軍的前鋒竟是燕王本人。燕王仗著惠帝下令，不准傷及燕王的詔令，親自迎敵，

奉旨征討

一馬當先，勇往直前。

楊松眼見燕軍蜂擁而來，自己連陣勢都還沒擺開，就結結實實吃了一個大敗仗，九千人在醉態中送了命。

燕王很是得意，他捋著鬍鬚笑瞇眼道：『中秋夜，我們還可大大痛宰一番，如果我猜得沒錯，這會兒在鄭州的潘忠，一定率了大軍前來援救，我們就靜靜地等候吧！』

於是，燕王選了一千多名壯士，躲在月漾橋的水中，每人拿著一束稻草，蓋在頭上，蒙住鼻子，噤不出聲。遠遠望去，月漾橋下一片靜謐，一輪皎月高掛天空，眞是詩情畫意的中秋月，月漾橋不愧爲月漾橋，值得詩人歌詠。

潘忠的軍隊也是酒醉飯飽，打了牙祭，吃過月餅，趁著涼風習習，正想休息。忽的，接到緊急命令，半夜行軍，一肚子惱怒，竟然有人半閉著眼睛，迷迷糊糊跟著隊伍趕路，實在是睏死了。

就在半夢半醒之間，潘忠的軍隊，經過月漾橋，神志尚未清楚。忽然，埋伏在橋下水中的燕軍，一躍而起，丟掉頭上的稻草，揮舞著長刀，呼嘯而至，像切西瓜一般，砍掉了許多潘忠部隊的腦袋。

等到潘忠的其他部隊發現月漾橋下有水軍，嚇得大叫『媽呀！』爭相逃命。可是，因爲吃得太撐，跑也跑不快，自相踐踏，屍上疊屍，血流成河。燕王旗開得勝，生擒了潘忠和楊松。

這時，耿炳文手下大將張保，看準耿炳文年老體衰，恐怕會繼續打敗仗，心想，不如及早投効燕王或許可以得到好處。於是悄悄地溜出軍營，來到燕軍大營，求見燕王，向燕王密報：『耿將軍目前手下有三十萬大軍，分別駐守在滹沱河南北。』

燕王親切地對張保說：『你能前來，我當然歡迎。你現在先回去，就說是被俘虜了，然後找機會逃脫，並且把潘忠、楊松吃了敗仗的情形，詳詳細細報告給耿炳文聽，你明白了嗎？』

『是的！』張保叩了頭，領了賞，歡天喜地，騎上快馬回去了。

燕王手下的將領，對於燕王命張保回去，個個不以爲然。他們猜想，燕王該不是中秋大捷給沖糊塗了吧，於是，有位將領向燕王進言：『王爺，我們現在快要到達耿將軍駐紮的眞定，不去突襲，反而讓張保通消息，讓耿炳文早做準備，天下那有如此用兵之道？』

『不然。』燕王胸有成竹地分析：『他們的軍隊，一半在滹沱河之南，一半在北。聽說我來了，原來在南營的必然移到北邊。再加上他們若是知道鄭州、雄縣打了大敗仗，心理上受到影響，咱們可以一舉殲滅，這才是兵法上所說的「先聲而後實」也！』

『高明、高明！』諸將異口同聲回答：『此所謂先聲奪人。』

『對。』燕王接著分析：『如果不是這樣，我們即使打贏了滹沱河北營，南營趁著我們累得人仰馬翻之際反攻，我們豈不慘哉？』

果然，不出燕王所料。張保回去，加油添醬一番以後，耿炳文年紀大了，做事小心，不敢莽撞，眞的把南岸的部隊拉到北岸。

接下來，雙方可要打一場硬仗，燕王手下有幾個能征善戰的拚命三郎，張玉、譚淵、朱能，像敢死隊一樣，衝鋒陷陣，勇猛無比，把耿炳文打得大敗，一路逃向滹沱河東邊。

朱能大叫一聲：『追啊！』他奮然上馬，直衝耿軍陣營，頃刻之間，耿軍被朱能的氣勢震懾，陣勢如巨浪般散裂開來。

只見朱能精神抖擻，眼如銅鈴，拍馬衝刺，手起刀落，左右翻騰，連劈十餘人下馬，眞是有如虎入羊羣，縱橫莫當。

耿軍大敗，四下潰散，後面的隊伍見前面掉頭逃命，情不自禁也撥馬轉身而逃。耿炳文另一員大將李堅也被俘。

李堅被綁來見燕王，燕王立刻親自爲李堅鬆綁，並且拉著李堅的手，懇切地說：『一定是託皇考之靈，把你送給我。』李堅原也是朱元璋的部將，被燕王這麼一勸，心頭一軟，馬上屈膝投降。

耿炳文氣喘吁吁，拖著老命，跑到了真定，把城門緊緊關閉，保存了十萬的兵力。

聽說吃了大敗仗，惠帝臉上出現了寒霜，他憂心忡忡地問黃子澄：『怎麼辦呢？』

黃子澄心裏也很著急，表面上不能不強自鎮定道：『別急，勝敗乃兵家常事，請陛下不要太過憂慮。』

【第727篇】

李景隆披掛上陣。

耿炳文老將披掛上陣，連連吃敗仗，惠帝不得已，把耿炳文召回京師。

耿炳文已是六十五歲高齡，面色羸瘦，本已不適合在沙場衝鋒陷陣。

惠帝與齊泰、黃子澄商量的結果是：『下回再找，得選個年輕的才行。』

但是，到那兒尋找青年才俊呢？

黃子澄忽然想到：『有了，曹國公李景隆不是現成的人選嗎？』

『他怎麼行？』齊泰抗議。

『怎麼不行，先帝在世時，也很欣賞他。』

『哎，那是欣賞他的外表。』

黃子澄負氣道：『沒給他機會，又怎知他不行？』

李景隆可是一個大有來頭的人物，他的父親是李文忠，李文忠乃明太祖朱元璋姐姐的寶貝兒子。

明太祖小時候，家裏貧窮，死的死，散的散，太祖投奔紅軍以後，他的姐夫李貞帶著十四歲的保兒前來依靠，這才知道姐姐已在兩年前去世了。

太祖對保兒十分疼愛，在他的身上，彷彿看到姐姐的影子。因此，收保兒爲義子，派人教他讀書，練兵法。

保兒就是李文忠的小名。以後，李文忠帶兵打仗，立了不少汗馬功勞。李文忠不但會作戰，而且通曉經義，擅長詩歌，明史中形容他是『恂恂若儒者』。

相形之下，李文忠的兒子李景隆就差多了，眞是所謂一代不如一代，也許中國人一向慣愛兒子，自己吃過苦就捨不得兒子吃苦。

李景隆個兒很高，眉目清秀，外表看來，溫文又瀟灑，而他的瀟灑，又不至於輕佻，顯得成熟又沈著。

這樣的白馬王子，不要說女性會著迷，連明太祖朱元璋每回上朝，見李景隆的雍容舉止，忍不住用眼光瞟了又瞟。李景隆發現太祖在偷看他，心中暗喜，表面上故意裝作沒發現，只是把背脊挺得更直，愈發襯出玉樹臨風的瀟灑。

不過，除了外表吸引人之外，李景隆長處不多，因為能言善道，惠帝對這個表兄弟，倒是十分喜歡，所以，黃子澄的提議，惠帝滿口答應。

李景隆雖是將門之後，卻是十足的紈袴子弟，將領們聽說是這位公子爺要來，個個都拉垮了臉，心懷怏怏。

李景隆走馬上任的第一件事，就是忙著四處徵兵，他的目標是五十萬。其實，打仗貴在神勇，善於調度，不是光光靠人多。耿炳文三十萬大軍不是說敗就敗嗎？

聽說惠帝起用李景隆，最高興的莫過於燕王了，他笑嘻嘻對諸將們說：

『九江，紈袴少年耳，從來未習兵事，色厲而中餒，現在給他五十萬兵，是重演趙括事件。』

九江是李景隆的小名，燕王認爲他外貌嚴厲內心軟弱。趙括是戰國時代趙國大將趙奢之子，是個公子哥兒，趙王換掉老將廉頗，改用趙括上任，在長平之戰中，趙國死了四十萬大軍。

由於惠帝換掉了老將耿炳文，改用李景隆代替，所以燕王胸有成竹道：『各位看吧，歷史會重演的。』

他說：『我想一個計謀，耍耍這個小子。』於是，燕王決定離開北平，前往永平，對付遼東軍。

將領們不放心，紛紛提出了疑問：『如此一來，北平守勢太弱，豈不危險？』

『不然。』燕王分析道：『北平戰則不足，守則有餘。李景隆膽子小，我留在北平，他一定不敢來，等他來了，我再回攻他不遲，你們發現沒有？李景隆犯了五大錯誤，凡是兵法上的忌諱，他幾乎全犯了。第一：政令不修，上下異心；第二，北平早寒，冬天來得早，他還讓兵士著布衣，不能披冒霜雪，而且，軍無餘糧，馬無足草；第三，自不量力，深入危險，第四，威令不行，仁勇俱無；第五，部隊喧譁，喜歡阿諛奉承之輩，專任小人。』

燕王一口氣舉出李景隆五大缺點，眞是把李景隆給看扁了。

燕王離開北平，先解了高平之圍。然後赴大寧，找他的弟弟朱權。朱權是明太祖朱元璋第十七個兒子。人人都說，朱元璋二十六個兒子之中，燕王善戰，寧王善謀，兩人在邊境並肩作戰，合作無間。

燕王軍隊到了大寧城外，燕王一個人單槍匹馬入城，抓著寧王的手，開始大哭特哭，寧王受到感染，也頻頻用手背拭眼淚。

燕王抽抽噎噎地說：『我是被齊泰、黃子澄逼迫，鋌而走險，如今十分後悔，恐怕難逃一死。』

寧王非常同情四哥燕王，很夠義氣地表示：『我幫你寫信給皇上求求情。』說著，寧王便提筆寫了一封信給惠帝，請他赦免燕王一死。接下來這幾天，兄弟倆談心飲酒，快快樂樂地敘舊，叨擾數天之後，燕王告別，寧王親自送到城門外。

寧王握著燕王的手，殷殷話別：『你多珍重。』忽然之間，燕王的伏兵一擁而上，俘虜了寧王，逼著寧王、寧妃與燕王大軍同行。

寧王善詐，卻被燕王給詐騙了，他原本不想蹚入惠帝與燕王之間的渾水，惠帝向寧王求兵，他曾經擱置不予理會。

如今，被燕王脅迫，沒有選擇的機會，只有被迫加入反惠帝行列。燕王收編了寧王八萬剽悍的部隊，更是如虎添翼。

閱讀心得

【第728篇】

南軍撞到冰牆。

燕王離開北平，援救高平，同時計誘寧王加入。他希望在離開這段日子裏，李景隆會進攻北平。

李景隆果然上鈎。他聽說燕王離開北平，喜不自勝，大軍圍攻北平，安然渡過盧溝橋，盧溝橋是扼守北平的要道。李景隆心中竊喜，大聲地說：『燕王不能守此橋，我看他也沒有什麼本事了。』殊不知，這是燕王預先做好的安排，目的在誘敵深入。

李景隆的大軍開到北平城外，燕王世子朱高熾謹守燕王的命令：『只宜堅守，不能出戰。』李景隆軍隊雖多，但是，他不會調度，面對堅城，也是無可奈何。

不過，南軍之中有一位瞿能，腰細肩寬，身強力猛，手執長鎗，帶著兒子，率領千餘騎兵，殺入張掖門。守衛用亂箭夾射瞿能，瞿能用鎗輕輕一撥，箭矢紛紛落地。雙方廝殺十多回之後，瞿能佔領了張掖門，準備繼續向城內進攻。

捷報傳到了李景隆耳中，他面無表情道：『喔，好。』

傳令兵急著揮汗：『弟兄們在張掖門等候援兵。』

李景隆沒好氣道：『是你做主，還是我做主？』

一直到最後，李景隆終究沒有派遣援兵。因爲他器小量淺。他酸酸地自言自語：『可不能讓瞿能父子搶了首功。』

守在張掖門的士兵，久候援兵不至，心中的惱怒可以想見。北平冬天來得早，南軍穿著布衣，縮著頸子，又冷又餓，個個心中都在埋怨，朝廷怎麼派來李景隆這個紈袴子弟率領大軍。既然後援不來，又何必死守張掖門。於是，瞿能率領將士們退出城外。

當天晚上，道衍出了個主意，派人在城牆上澆水，澆了一桶又一桶。水從牆面上向下流，由於氣溫很低，水一面流一面結冰。不久，城牆外已結了厚厚的一層冰，整個城牆像是一面冰牆。

到了第二天的清晨，李景隆下令用雲梯攻城。可是，一片冰牆，又冷又滑，雲梯很難穩固地架上去。士兵好不容易從雲梯爬上城牆，卻被牆頭的燕軍輕輕一撥，就像溜滑梯一般從冰牆上滾下來，一不小心，碰到了冰牆上突出的冰塊，刮破了手腳，鮮血淋漓，塗在雪白的冰牆上，格外地觸目驚心。

南軍的一輪雲梯進攻，其結果倒像是滑冰牆遊戲，竟然無法登上牆頭。

李景隆自己換上了皮衣重裘，軍士們卻仍然繼續穿著布衣軍服，南方人又不習慣北方的冷冽，一個晚上的衛兵站下來，雪地上直挺挺地躺下好多屍體。

南軍的士氣就像當地的氣溫一樣，愈來愈低。

這個時候，燕王大軍回返北平，北平守軍也鼓譟而出，內外兩下夾攻，李景隆連連打了七次敗仗，只得退守德州。

李景隆的失敗，正應了當初燕王所說的：『想當年，漢高祖也不過只能領軍十萬，李景隆有什麼能力，竟然能夠帶五十萬大軍！他帶兵愈多，指揮愈不靈活，對我們反而愈爲有利。』

由於李景隆是黃子澄力保的，李景隆失敗的消息，黃子澄爲了自己的面子，沒有報告惠帝，惠帝反而嘉勉李景隆，升他的官爲太子太師，有知道內情的文武百官都在搖頭歎息。

第二年，燕王準備進攻大同，他預測，李景隆必定會去援救大同，大同苦寒，南軍脆弱，可以不戰而勝。

燕王的預測果然正確，當燕軍圍攻大同之時，李景隆派了大軍急奔大同來救援。其實燕王並非眞要攻下大同，等到李景隆的大軍快到大同之時，燕軍卻繞道從居庸關回到北平。李景隆勞師動眾，連燕王的影子都沒有瞧見。可是，南軍不適合北方嚴寒的氣候，在往返的軍途中，許多士兵因不耐低溫而凍死了。

李景隆一再被燕王戲耍，身爲主帥，眞是快要氣瘋了。他不能再受辱，決定傾全力與燕軍決一死戰，於是發生了白溝河之役。

李景隆召集了六十萬大軍，在白溝河南岸紮下軍營，擺出的陣勢長達數十里，聲威鼎盛。

燕王親率燕軍也來到白溝河，雙方展開了激烈的戰鬥。

第一天的戰鬥，南軍佔了優勢，燕軍吃了幾次敗仗。

第二天，燕王親自躍馬上陣以激勵軍心士氣。燕王神勇過人，前衝後突，殺得南軍左逃右躲。但是，燕王也成爲南軍攻擊的目標。

一支飛箭射中了燕王所騎的駿馬，駿馬痛得長嘶一聲，前腳騰起，燕王被彈下馬背，幸好燕王身手矯捷，一個翻身，平安落地，燕軍士兵立刻送上一匹馬，燕王飛身躍上，繼續廝殺。

不久燕王的座騎又被一支飛箭射中，馬兒倒了下去，燕王趕快再換一匹馬。

這次燕王也取出了一袋弓箭，一支一支地對南軍射去，把三袋箭都射完了。忽然座騎又被南軍的弓箭射中，燕王趕緊換騎另一匹馬。

箭袋都空了，燕王拔出寶劍，再度衝入南軍之中，和南軍搏鬥起來。也不知打了多久，忽然，『噹』一聲，燕王的寶劍斷了。

手裏沒有了武器，燕王心裏一慌，立刻後退，南軍卻在身後緊追不捨。

燕王正在著急，忽然發現前面的河堤高高突起，於是趕緊策馬飛奔上堤。到了堤上，燕王故意高舉馬鞭，向堤的另一面招手。

李景隆見狀，以爲堤外有燕王的伏兵，深恐燕王上堤又是一個詭計，立刻下令停止南軍進攻。於是李景隆失去了一次活捉燕王的機會。

正巧這時燕王的兒子高煦帶領一隊燕軍前來援救，和南軍又展開了一場激烈的搏殺。白溝河之役，燕軍初敗後勝，南軍陣亡十幾萬人，燕軍乘勝攻佔了李景隆的基地——德州，李景隆逃奔到濟南。

這一回大敗，黃子澄可不能再瞞了，他請求惠帝將李景隆處死。惠帝一向仁厚，也以自己的仁厚自得，他堅持不肯誅李景隆。御史大夫練子寧看不下去，揪著李景隆在殿前跪下，邊哭邊說：『壞陛下大事者，就是這個賊。臣擔任御史大夫，不能爲國去奸，死有餘罪，如果陛下非赦景隆不可，就不要赦臣，請求賜臣一死。』

惠帝不肯殺李景隆，當然更沒有殺練子寧的道理，他乾脆宣佈退朝。

黃子澄懊悔極了，捶胸頓足哭道：『大事去矣，我推薦景隆誤國，萬死不足以贖罪也。』

閱讀心得

【第729篇】薛嵒參觀軍事演習。

李景隆失敗以後，惠帝這方面，冒出兩位英勇的戰將，一是鐵鉉一是盛庸。

鐵鉉在洪武年間，原以斷獄著稱，明太祖朱元璋很欣賞，曾經賜他一個字——鼎石。

建文初年，鐵鉉擔任山東參政，他眼見李景隆無能，心中十分發急，決心死守濟南。

燕兵來勢洶洶，日夜猛擊，並且用大水灌城。

鐵鉉心生一計，先命守衛嚎啕大哭，然後，派出一千多人，高舉白旗，出城詐降。一千多人跪在地上討饒，並且推出代表，低聲下氣地懇求燕王：

『奸臣不忠，使大王冒著霜露，爲社稷憂心。誰不是高皇帝（明太祖）的兒子？誰不是高皇帝的臣民？我們東海人民，不懂得軍事，聽說大軍壓境，將要大肆殺戮，這那兒是大王安定天下的本意？請求太王退師十里，單騎入城，臣等將壺漿以迎王師。』

這一番話，把燕王哄得心花怒放。在他看來，濟南城民，既然把燕軍視爲仁義之師，那又何必勞師動眾非打不可，而且，他痛宰李景隆的威名，想來早已天下風聞了吧。想到這兒，燕王不自覺滿面笑容。

於是，燕王下令退軍。第二天中午，騎著一匹駿馬，意態從容地進入濟南城，彷彿凱旋的英雄一般，接受民衆熱熱烈烈的歡迎。

正當燕王飄飄然，滴答滴答騎著馬剛過城門，『哐』的一聲，城牆上面預先佈置的鐵板下墜，直直落在馬首，差一點就擊中燕王的腦袋。燕王嚇得立刻換了一匹馬，頭也不回的往後奔馳，又差點撞上鐵鉉設的斷橋。

也許鐵鉉姓鐵，他才想到用鐵板對付燕王，燕王差點丟了老命。爲了報仇，全力圍攻濟南，攻了三個月，還打不下，燕王頗爲氣餒。他的智囊道衍說：『軍隊也疲乏了，先回北平吧。』鐵鉉又乘勝克復德州。

接著，燕王又被盛庸追得窘迫，曾經有一度，燕王一個人騎著馬殿後，後頭有數百追兵，他們不敢與鐵鉉一般，不理會惠帝『不得殺害燕王』的詔命，因此，明知燕王在前，卻不敢加害。

燕王起兵以來，轉戰兩年，歷經辛苦，有時不免灰心喪志，卻在道衍鼓勵之下，再拿出勇氣，再度起兵，在天河之役，打敗盛庸。

惠帝聽說盛庸失敗，十二萬分地恐慌。他知道，燕王對齊泰、黃子澄兩個人恨之入骨。因此，下詔貶竄齊、黃。並且派遣官員抄他們的家。卻在暗中，命令他二人出外募兵。

燕王當然不敢輕信。惠帝接受方孝孺的建議，表面上，赦免燕王的罪名，恢復王爵，但私底下卻計畫派兵攻北平。

大理少卿薛嵒到了燕軍之中，宣讀了聖旨。燕王臉色沈重，氣得牙齒咯咯作響，怒聲責問薛嵒：『我問你，你臨行之前，聖上作何言語？』

薛嵒道：『聖上說，殿下一旦脫去盔甲，謁見孝陵（明太祖的陵墓），晚上即可回北平。』

燕王哼哼冷笑兩聲：『喔，是這樣的嗎？這個話不足以欺騙三尺高的小孩。』說著，燕王舉起手臂，指著左右將士道：『不要忘了，此間尚有大丈夫。』

諸將們聽了這話，抬頭挺胸，舉起刀劍，齊聲要求：『把薛嵒給殺了吧。』

燕王在將領們心目中是相當具有份量的。雖然說，惠帝有詔，不准殺害燕王，畢竟刀鎗可沒長眼睛，稍一閃失，燕王還是會去見閻王爺的。可是，每一場戰役，燕王總是出現在最危險的地方，讓士兵們非常佩服。

同時，燕王對士兵相當地愛護。有一回，行軍途中，一個士兵體力不支，昏倒在地，他立刻吩咐左右：『用我的備用馬載他。』又長長嘆了一口氣：『壯士的病，都是因爲我而起的，慚愧之至。』

這番話，讓士兵聽了，覺得好溫暖，好有人性，王爺眞是懂得體恤底下人。

燕王也總捨不得讓兵士們過勞。南軍的軍隊，每到一處，立刻挖塹築壘，總要忙個通宵，整夜不能休息。長途行軍，加上體力透支，實在累慘了。第二天一大早，又得出發。

燕王則不然，他行營只搭帳篷，卻不挖塹築壘，而用分佈隊伍列陣爲門，輪番站哨，防止敵人偷營。這樣子就能養精蓄銳，保持旺盛的戰鬥力量。

每次戰鬥之中，獲得的戰利品，燕王也是當場分賞給將士們，因此，燕王手下的死士不少。

聽到薛嵒轉達惠帝沒誠意的詔書，將士們露出吃人的眼光，想為燕王出一口氣。

燕王就是要薛嵒瞧瞧手下們的忠心，倒也不眞的準備殺薛嵒。他大聲阻止：『朝中奸臣不過數人，薛嵒是天子的使者，各位不可輕舉妄動。』

燕王嚇唬薛嵒之後，帶領他參觀軍營。

只見三通鼓罷，燕王金盔金甲，錦袍玉帶，立馬陣前，眞是威風極了，左右排列諸將，旌旗節鉞，甚是嚴整。接著，表演戰技，一個揮刀縱馬，一個挺槍接住，彼此捉對廝殺，非常精采。薛嵒眼見軍容嚴整，士氣如虹，暗暗稱奇。

燕王留薛嵒逗留數日，再放薛嵒回京。臨行之前，燕王用哽咽的語調對薛嵒說：『你回去爲老臣謝天子，天子與臣是至親，臣的父親是天子的祖父，天子的父親是臣的長兄，臣爲藩王，富貴都到達了極致，尚復何求？臣一向知道天子厚愛臣，一定是被奸臣所讒。如今奸臣尚在，大軍未還，臣的將士心存狐疑。若是天子誅殺奸臣，解散召集來的軍隊，老臣父子一定騎著馬，赴京接受天子的命令。』

薛嵒回到南京，據實報告，一向軟心腸的惠帝長歎：『眞如嵒所言，錯在朝廷，齊泰、黃子澄誤了我。』

方孝孺則不以爲然，他撇撇嘴道：『這是薛嵒爲燕王遊說。』

閱讀心得

【第730篇】

惠帝離奇失蹤。

自從燕王發動靖難，正式起兵，春去秋來，已經三年。這三年之中，燕王身先士卒，親冒矢石，雖然屢戰屢勝，畢竟兵力不足，所攻下來的城鎮，往往不久之後，又被南軍收復。最後清點之下，除了燕王的老家北平以外，不過只有永平、大寧、保定幾個據點，因此，燕王十分沮喪。

他曾經舉盃消愁，仰天歎息：『連年用兵，到底要拖到那一天，乾脆決一死戰也痛快。』

正在這個時候，燕王的機會來了。原來，惠帝深受儒家思想的影響，再加上明太祖朱元璋對宦官防範嚴密，因此，惠帝雖然爲人仁厚，卻獨對宦官管得極緊。

當時，朝中一些宦官犯法，惠帝下詔：『嚴加偵辦。』有些犯了法的宦官心裏害怕，就悄悄溜出南京，逃往北平，依附燕王。乘機向燕王報告說：『南軍都派到各地去作戰了。如今，南京城一片空虛，大王何妨奇襲。』

燕王正在進退維谷，一籌莫展，聽了宦官的情報，大喜過望，急忙找道衍商量。道衍估算的結果，也認爲消息應該可靠，於是訂下了長驅深入直搗南京的大計。

建文三年十二月，燕王大軍發兵，這次的戰略，與往常不一樣，燕王並不攻佔城池，沿途的州縣只要不阻攔，就不會發生戰事，燕軍的目的地是直指南京城。

燕軍聲威鼎盛，一路南行，沿途也有南軍抵抗，卻都不是敵手，紛紛潰敗，燕軍很快就攻到了長江北岸。

惠帝十分驚恐，一聽說燕王大軍已臨江北，一個人在殿裏徘徊，他皺著眉問方孝孺：『你說，事到如今，如何是好？』

『城中尚有勁兵二十萬，城高池深，糧食充足，應該可以抵抗到底。』方孝孺語氣沈重地說：『即使無濟於事，陛下也該爲此犧牲。』

不久，燕王督師進攻南京城金川門，兩軍尚未開打，那個曾經吃過敗仗的李景隆與谷王穗竟然開門投降。諸王與文武百官先後投降，燕王終於如願以償，進入南京城。

一向機敏的燕王立刻下令：『迅速包圍皇宮。』正在此時，皇宮突然起火，烈焰沖天，陣陣的濃煙，嗆得人咳嗽不已，薰得人眼睛都睜不開。

燕王一看情勢不對，立刻再下令：『守住每一個宮門。』於是，手執刀鎗的士兵，嚴守各個宮門，外面的人不得入宮，宮裏逃出的人一律逮捕。同時，燕王又派了大批士兵進宮去救火。好不容易火熄了，卻不見惠帝的蹤影。

惠帝在火窟中自殺了嗎？可是燕王派人把宮裏整個翻過來，也不見惠帝屍首。

惠帝逃走了嗎？這倒是有可能的，雖然當時士兵們守住宮門，但情勢太亂，惠帝乘機溜走，實有可能。燕王登上皇位以後，派遣鄭和赴南洋，宣揚大明國威，據說鄭和另有一個重要的任務，就是奉明成祖（燕王）之密令，尋訪惠帝的下落。

由於惠帝下落成謎，因此，民間流傳各式各樣的說法，其中最爲普遍的一說是，當金川門失守以後，惠帝原先準備自殺，這時，翰林院編修磕了一個頭道：『還是快逃吧。』

『怎麼逃得走呢？』惠帝憂急地問。

這時，一個老宦官王鉞忽地衝了出來，在地上碰一個頭說：『記得先皇帝在世時，曾經留下一個匣子，藏在奉光殿的左邊，囑咐在遇到大難時可以打開。』

『還不快取！』惠帝急著說。

王鉞匆匆忙忙拿出一個紅匣子，打開一看，裏面有白銀十錠，以及僧衣僧帽等，並且留下字條，說明宮中有一個秘密通道，可以直通外面。另一個宦官迅速爲惠帝剃髮，換上僧衣。然後，惠帝帶著幾個身手矯健的宦官，從地道逃出了宮。自此與祖父朱元璋當年一樣，做了和尚，雲遊雲南巴蜀之間。據說，晚年之時，惠帝嗟歎一生遭遇，曾經在一座寺廟的牆上，題上一首詩：

閱罷楞嚴（佛經書名）聲懶敲，笑看黃屋寄團瓢。（團瓢指草舍。）

南來瘴嶺千層迴，北望天門萬里遙。

款段久忘飛鳳輦，袈裟新換袞龍袍。
百官此日知何處？唯有羣鳥早晚朝。

寫盡了他見不著文武百官，只有與羣鳥相伴無邊的寂寞。

另外還有一個故事，據說惠帝逃亡在外，年紀大了，十分思念祖父，很希望死了以後，可以與祖父埋葬在一塊兒。此時，成祖已經去世，英宗即位，惠帝鼓起勇氣，向廣西思恩知州講穿了自己眞實的身分。

州官可是嚇了一大跳。但是，此事非比尋常，不敢擅自做主，派人把惠帝送往北京。

英宗也沒有見過惠帝，不知其眞假。於是，把老太監吳亮請出來鑑別。

吳亮見到滿面風霜的惠帝，實在也看不出來到底是不是眞的，中間相隔四十年，其間的變化太大了。

惠帝倒是一眼認出了吳亮，並且對他說：『吳亮，你不記得了嗎？有一天我在吃鵝肉，有一小片鵝肉掉在地上，你學著小狗的樣子，一邊汪汪地叫著，一邊把肉給舔了。』

『對，我記得。』吳亮忍不住哭了起來，並且說：『我還記得，皇帝左腳腳趾上有一顆黑痣。』

惠帝伸出了腳，吳亮脫去惠帝的鞋襪，發現腳趾上果然有一顆又圓又大的黑痣。吳亮抱著老主人惠帝的腳，嚎啕大哭起來。於是，惠帝在宮中，度過平靜的晚年，死後，被埋葬在西山。

當然，這也是一段傳說的故事。

總之，靖難之變，惠帝失蹤，惠帝究竟下落如何，始終是明史上一大疑案。

清乾隆元年，惠帝才被追謚爲恭閔惠皇帝。

閱讀心得

【第731篇】

明惠帝下落的最新說法。

明惠帝的下落是千古疑案，也是歷史學家一直深感興趣的謎團。近來，大陸上的歷史學者，有一種新的看法。

根據他們的研究，惠帝神秘失蹤，並沒有遠走雲貴高原，浪跡天涯。而是躲在近在咫尺的蘇州吳縣普濟寺。

據說，情況危急，千鈞一髮之際，惠帝剃光頭髮，換上僧衣，他很自然地，第一個念頭就想到：『不如投奔溥洽大師。』

溥洽也者，可不是尋常和尚，他是明朝初年著名的高僧，精通佛典，德高望重。在洪武年間，曾經被召爲僧錄司右講經，後來，升爲左善世，又擔任惠帝的主錄僧。

惠帝原本是個清心寡慾之人，歡喜讀佛書，講禪理，甚且也愛茹素。因此，惠帝與溥洽相處甚歡。

『投奔普濟寺，會不會給他添麻煩？』

一向爲人設想的惠帝，又不免躊躇。

情況緊迫，也不容惠帝優柔寡斷。幾個身手矯健的宦官，護衛著惠帝，晝伏夜行，來到了蘇州吳縣山明水秀的普濟寺。

普濟寺是過去惠帝來過的地方，他極爲欣賞此地的山明水秀。但是，

佛

此時此刻，性命垂危、心亂如麻，缺乏賞玩山水的興致。

惠帝一行，進入熟悉的山門，繞過大殿，曲徑通幽，到了最後一進禪房，一叢修竹，數曲迴欄，這是溥洽居住之地，也是普濟寺中最好的住處。溥洽已經交代，請惠帝暫時在此落脚。

溥洽招呼小和尚，捧來一碗熱茶，一碟寺中自製的鹽漬燻豆，對惠帝說：『皇上莫驚慌，這兒很安全。』眼神中盡是關懷。

早已被嚇壞的惠帝，覺得一股暖流緩緩地自心中漾開，總算可以舒一口氣了。

普濟寺中突地來了一羣身分不明的人，而且處處顯得十分神秘，馬上有人聯想到，該不會是惠帝落難此處。

明成祖接到密報，立刻派出大批人馬，把普濟寺層層包圍。但是，搜查了半天，卻找不到惠帝的蹤跡，他氣在心裏，找了一個不相干的理由，把溥洽軟禁起來。

普濟寺待不下去了，惠帝又到那兒了呢？據說，竟然是道衍（姚廣孝）伸出了援手。

明成祖當初之所以毅然起兵，得力於道衍。以後三年，成祖轉戰山東、河北，道衍雖未親臨戰場，但是，一切機密幾乎取決於道衍。所以，成祖得有天下，道衍出力最多，論功行賞，以爲第一。

永樂二年，道衍授官資善大夫，太子少師，恢復他的原姓——姚。並且贈道衍祖父官職。成祖平常稱呼他，總是客客氣氣尊一聲：『少師。』

成祖不止一次勸道衍：『你也不要再當和尚了，把頭髮蓄起來，朕贈給你豪華宅第，美艷宮人，你與我共享天下富貴。』

道衍就是不肯，他拱拱手道：『我當和尚習慣了。』

道衍過著一種奇怪的生活，他上朝時，穿著官吏的朝服，退朝之後，又換上袈裟。他還是習慣於住在他的慶壽寺。

道衍聽説惠帝惶惶然若喪家之犬，便寫了一首詩『病貓』，表示願意收容惠帝：

啣蟬踏雪世難尋，爪斂毛摧苦病侵；
既倦終宵迎氅下，唯思長日臥花蔭。
欲急快啖非無意，縱鼠橫行豈有心；

誰念前功能保受？夜寒收汝入重裘。

惠帝走投無路，也就只好投靠在道衍懷抱，收入他的重裘之中。道衍是成祖最信賴的人，因此，慶壽寺也是全國最安全的地方，惠帝在這兒，過了十多年平靜無波的生活。

轉眼之間，道衍垂垂老矣，不能上朝，在慶壽寺中養病。成祖很關心道衍的病，親自前來探望，他握著道衍的手，想起親密戰友時代的往事，覺得十分悵惘，賜給道衍一個金子打造的金唾壺，並且詢問道衍：『告訴朕，有沒有任何事，朕可以替你辦到的？』

道衍思索了一會兒道：『溥洽被關得太久了，希望能夠放他出來。』又說：『他實在是冤枉的，請皇上赦免他的罪。』

念在道衍的功勞上，成祖馬上就答應了，說到做到，立刻把軟禁十多年的溥洽放了出來。

過了沒多久，道衍過世，年八十四歲，葬禮備極哀榮。成祖親製神道碑記載他的功勞。道衍是和尚，沒有後代，成祖賜官道衍養子姚繼爲尚寶少卿。

道衍過世之後，慶壽寺不再是戒備森嚴之處，成祖派了胡濙：『有人說，他藏在慶壽寺，你瞧瞧去。』

胡濙探聽回來，向成祖稟報：『沒錯，惠帝是藏在慶壽寺，人老了，也病了，恐怕拖不了好久，懇求陛下讓他在慶壽寺，走完人生最後一段路吧。』

成祖一直害怕，有人簇擁惠帝，東山再起，威脅他的帝位，倒不是擔心個性懦弱的惠帝。成祖考慮了一會兒，對胡濙說：『好吧，不過，你要派人日夜嚴密監視，不可予野心家可乘之機。』

『是的。』胡濙重重叩了一個響頭。

永樂二十一年，一天夜晚，成祖已經入睡了，胡濙急稟，說有要事相告。

成祖披衣而起，胡濙滿面愁容、悲痛地說：『他去了。』他是指惠帝，年方四十五歲。

成祖指示：『用天子的格局安葬，但不能讓世人覺察。』

就這樣，一生飽歷憂患的惠帝，長眠於慶壽寺。墓頂上置正方形大青石一塊，暗指『天圓地方』的帝王陵寢之意。

按溥洽被軟禁，道衍死前搭救溥洽一段，都是明史中有記載的事。不過，若是說，惠帝被道衍搭救，似乎不太合理，道衍一手導演惠帝敗亡，他應該是最恐懼惠帝尚在人間的人。

當然，人性複雜，世事難料，誰也不能說，絕對沒有這件事，只不過，因爲缺乏強而有力的證據，我們只能姑妄聽之。

閱讀心得

【第732篇】

方克勤方孝孺父慈子孝。

燕王進入南京城以後，立刻下令，逮捕齊泰、黃子澄等五十餘人，到處貼出告示，抓拿『奸臣』。

當初，燕王起兵的理由是『朝無正臣，內有奸惡，則親王訓兵待命，爲天子討平之。』

現在，他要動手辦『奸臣』了。

燕兵圍攻南京時，齊泰在外郡奔走想辦法，聽說燕軍重金懸賞他，齊泰心中發急，準備逃跑。

他有一匹快馬，白亮似雪，狀甚雄偉，可以日行千里。齊泰跳上馬，轉念一想：『不對，我這張面孔，識得的人不多，倒是有不少人，知道我有這匹白色寶馬。』

齊泰慌慌張張下了馬，跑入書房，捧來筆硯，用大號毛筆，沾上黑墨，在馬匹身上大片大片刷去。齊泰喃喃自語：『寶馬，對不起，這回委屈你了。』頃刻之間，白馬變成了黑馬。

齊泰左手牽韁，右手的馬鞭不斷『刷刷』地往馬腰上抽，一路向前奔去。因爲天氣太熱，齊泰累得滿頭大汗，寶馬也汗如雨下，馬這一出汗可不得了，不停的滴滴答答有黑色的墨水往下掉，引起路人的嘖嘖稱奇。

不一會兒，經過汗水的洗禮，黑馬又變爲原來的白馬了，有人指著驚呼：『咦，這不是齊尚書的白馬嗎？』

這下子，齊泰想賴也賴不掉，只好垂頭喪氣被押解到南京。他與黃子澄二人，都被處以『磔死』（磔是分裂肢體的死刑）。

除了齊泰與黃子澄，還有一個人，燕王想起來，就氣得牙齒咯咯作響，那便是方孝孺。

方孝孺，是中國歷史上大大有名的人物，許多人都聽過他的名字，卻不甚了解他的事蹟。

方孝孺（有的書籍寫作方孝儒），字希直，一字希古，明朝寧海人。他的父親方克勤，也是明史中列爲『循吏』的好官。

方克勤在洪武四年，參加吏部考試，得了第二名，授爲濟寧知府。

當時，國家遭逢大亂，經濟上凋敝不堪，滿目瘡痍，朱元璋認識『初飛的小鳥，不能夠拔牠羽毛』的道理，鼓勵農民開墾荒地，並且規定，墾出的土地，承認是墾荒者的產業，同時，免徵三年田賦。

但是，地方官吏可等不及，早早就急著前來催稅。老實的農民受了騙，心裏很生氣，一個個嘟嘟囔囔：『既然皇帝的詔命不可信，我們幹什麼當傻瓜。』於是，田地又荒蕪了。

方克勤則不一樣，他與人民定了約，不該繳稅時絕不徵稅，又把田分爲九等，到了該抽稅時，一切依規定辦理。濟寧的荒田，就這樣一片片開發出來。

方克勤又到處建學校，修孔子廟，教化百姓。在盛暑之時，軍隊將領拉人民去築城。方克勤好生不忍，他代替老百姓向都督求情：『大家耕田都來不及了，那有時間去築城？』

都督認爲方克勤是存心不給他面子，氣吼吼道：『你若有本事，就請中書省下一道命令，這城，也就不必築了。』

方克勤也就眞的上書中書省，讓民衆免去了勞役。

濟寧人民很感激方克勤，作了一首歌謠歌頌他：『孰罷我役？使君之力。孰活我黍？使君之力。使君勿去，我民父母。』意思是說：『誰免除了我們的勞役？都是知府老爺的力量。誰救活了我們的田？都是知府老爺的力量。知府老爺千萬別走，你是我們的父母。』

方克勤像苦行僧一般，把物質需求降到了最低點，他的布袍一穿是十年，一日三餐多半吃素。

方克勤的兒子方孝孺，在年幼時，母親就過世了，他完全繼承了父親這種理學家的風範，以追求道德學問爲己任，不在乎生活簡陋。

方孝孺自幼聰明機智，雙目炯炯有神，他每天讀書十分用功，鄉里的人都稱他爲『小韓子』（小韓愈之意），予以另眼相看。

長大以後，方孝孺跟著宋濂讀書，宋濂是協助明太祖朱元璋打天下的功臣，學問極佳，方孝孺的成績優異，很快的就趕上他的學長，如胡翰、蘇伯衡等人。

在方孝孺心目之中，他是看不起舞文弄墨的文藝之事，他認爲讀書的目的便是『明王道、致太平』。

因爲過於專注用功，方孝孺曾經疲憊地病倒了。家裡的人憂急地告訴他：『怎麼辦呢？一粒米都沒有了，你又生了病。』方孝孺極有顏回精神地笑笑：『這有什麼關係？古人三十天才吃九頓飯，難道古今只有我一個人貧窮嗎？』

十九歲那年，方孝孺又遭到巨變：

朱元璋即位以後，爲了懲治貪官污吏，爆發了所謂空印案。（依照慣例，每一年，地方長官到戶部繳納錢糧等，總先攜帶蓋了空印的公文紙，以備於萬一報銷之時，有戶部刪剔的項目，可以在京城裏隨時補文申報或者繳款賠虧。以免一來一往，路途遙遠，耗費時間。）

但是，一向有疑心病的朱元璋，直覺以爲，其中有詐，定是集體舞弊，把案内有姓名的主印的地方官，一律斬首示衆。

方克勤雖然是好官，但是，專制時代是沒有道理可講的，一樣因此被殺。十九歲的方孝孺，扶喪歸葬，因爲哭得過於傷心，臉色灰敗，兩頰與雙眼就深深陷了下去。

方克勤父子二人，一向得到鄉里的敬愛，遭此巨變，衆人同聲歎息。一路上，都有人忍不住陪著方孝孺痛哭流涕。

閱讀心得

【第733篇】

方孝孺寧死不屈。

方孝孺守完孝，他繼續跟著宋濂求學，前前後後，他拜在宋濂門下，長達六年之久。

洪武十五年，由於吳澄、揭樞的引見，明太祖特別予以召見。方孝孺清癯秀逸，氣度高華，特別是那一雙眼睛，神采奕奕，目光十分正直。明太祖非常欣賞方孝孺的端莊大方，他對皇太子說：『此人乃良士也，應該進一步磨練他的才華。』予以相當禮遇，然後遣返。

後來，他因爲受叔父的官司的連累，闔家被地方官逮捕到京師。明太祖如此一個殺人如麻的君主，竟也起了愛才之心，見到方孝孺的名字，馬上予以開釋特赦，讓他得以『奉祖母及妻子』歸還鄉里。

洪武二十五年，又經人推薦，方孝孺再蒙太祖召見。距離明太祖第一回見他，已經整整過了十年，方孝孺舉止更見沈穩內斂，談起話來，學問更爲淵博精進，明太祖爲之喜上眉梢，卻表示：『現在，還不是用方孝孺的時候。』聘他爲漢中教授，每日與學生講論學問。

蜀獻王聽說方孝孺的賢能，經常前來聆聽他講述道理，特別聘他爲世子的老師，他自己也一塊兒聽課，對方孝孺陳述的義理，覺得萬分佩服，特別把方孝孺的書廬取名爲『正學』。從此以後，學者都恭稱他爲『正學先

亂離兮孰知其由
奸臣得計兮謀國用猶
臣發憤兮血流交流
以此殉君兮抑又何求
嗚呼哀哉兮庶不我尤

生』。

正學先生眞正獲得重用，是在惠帝時代，惠帝喜歡儒學，也有學問根基，兩人一見如故。建文元年，惠帝召方孝孺爲翰林侍讀，須發給他一面『朝參牌』（隨時可以出入京城，朝參皇帝的牌子）。

惠帝喜歡研究學問，每次有讀不通、看不懂的地方，就請方孝孺來講解，互切互磋，深覺樂在其中。每日上朝，官員奏事，惠帝也常叫方孝孺在屏風之前馬上作答，君臣關係水乳交融。

靖難之變發生，當時的詔檄公文，都是出自方孝孺這支快筆之手。

基本上，惠帝很不情願與親叔開打，他又是個聽到兵事就皺眉頭的人。因此，在戰況吃緊之時，他把一切委託給齊泰、黃子澄。自己與方孝孺談論周官禮儀制度，這才是惠帝的最愛。

由於方孝孺道德學問，天下風聞，所以當燕王發兵北平之前，道衍曾經勸過燕王：『大王，請務必聽我一句，攻下南京的那一天，方孝孺必定不會投降，請千千萬萬不要殺他，如果殺了他，天下讀書人的種子就從此斷絕了。』

燕王自起事以來，得力於道衍之處甚多，因此他點點頭道：『好，我答應你。』

南京金川門破，皇宮大火，惠帝下落成謎，方孝孺如喪考妣，披麻戴孝，哭得熱淚滾滾，渾身發抖。

燕王屢次下詔召見，方孝孺總是相應不理，燕王派了方孝孺的門人廖庸去請，被方孝孺罵了一個狗血淋頭：『你的詩書都唸到那兒去了？』後來，燕王正式準備即位，想找一個文筆好的人，爲他起草詔書，大家都說方孝孺是當今天下第一才子。燕王命令把方孝孺押到殿上。方孝孺依然還是穿著孝服，一入殿便如長江大河開了口，一瀉千里般哭個不停，圍觀者面面相覷，不知如何才好。

在燕王看來，馬上要登基，是喜事一件，方孝孺穿著喪服，哭個不停，眞是觸霉頭，臉色也不自覺地陰沈下來。

燕王勉強忍住氣，走下座位，安慰他道：『你用不著太悲痛，我不過是效法周公，輔佐成王。』

『喔，是嗎？』方孝孺一泡淚水在眼眶裡打轉：『成王在那裡？』

『他自焚而死。』

『爲什麼不立成王的兒子？』方孝孺用手背擦拭著眼淚，含恨地追問。

『國賴長君。』燕王昂一昂頭。

『那麼，爲什麼不立成王的弟弟？』方孝孺用相當固執的聲音再逼問。

燕王抬起頭，兩人四目相視，眼中都噴著怒火，呈現出一種劍拔弩張的情況。方孝孺一臉不屈的神態，眼中且有不屑與亂臣賊子多言的驕傲。

燕王受不了，氣憤地回答：『這是我家的事，你別嚕嗦。』

說著，燕王命左右把紙筆遞給方孝孺：『這詔告天下的文章，非請先生草擬不可。』

『好！』善寫書法的方孝孺，立刻寫上了『燕賊篡位』四個大字。氣得燕王臉上一陣慘白。

方孝孺重重把筆往地上一摔，倨傲地說：『死就死吧，詔書，我絕不會寫的。』

燕王憤然跺脚：『你不怕我誅你九族？』

『誅十族我都不怕！』

『好！』燕王勃然變色：『押入大牢，我偏偏不讓你馬上死。』

（根據明律，所謂九族，直系親以本身上推而父、祖、曾祖、高祖，再自本身下推而子、孫、曾孫、玄孫爲止。旁系親以自身橫推而兄弟、堂兄弟，再從兄弟、族兄弟爲止。）

據說，燕王每抓一人，就把他帶到獄中讓方孝孺看一回，讓方孝孺心痛一次，但是，方孝孺始終不爲所動。最後，才把方孝孺處以磔刑。然後，又把方孝孺的門生朋友列爲一族，也給殺了。

方孝孺慷慨就義之前，曾經寫了一首絕命詞：

天降亂離兮，孰知其由？
奸臣得計兮，謀國用猶；
忠臣發憤兮，血淚交流。
以此殉君兮，抑又何求？
嗚呼哀哉兮，庶不我尤。

意思是說，生逢亂世，誰知道老天爲何如此安排？奸臣篡位謀國，詭計得逞，忠臣發憤圖強，血流交流，我能爲國君殉難，別無所求。

方孝孺就義之時，正值四十六歲壯年，他哥哥孝聞，先他自殺，弟弟孝友與他同時就義，妻子鄭氏與兩個兒子自縊，兩個女兒投入秦淮河殉國，眞是一門英烈。

閱讀心得

【第734篇】

瓜蔓抄。

當燕王攻下南京城，正式成爲明朝皇帝以後，他第一件事，就是想看看鐵鉉是怎麼樣一副慘敗的臉色……。

想起鐵鉉，燕王，不，現在是明成祖，可就是一肚皮的惱怒。鐵鉉曾經詐降，騙成祖單槍匹馬，志得意滿，徐徐進入濟南城。

豈料，剛一進門，有人高喊『千歲』，陡地，一塊吊起來的鐵閘板，直直往下落。若不是『千歲』這句暗號，喊得早了一點，鐵閘板就不是落在馬頭上，而是成祖的腦袋開花。

想到這兒，成祖摸一摸頭，暗呼：『好險，差一點就當不成皇帝，成爲鐵板下的冤鬼了。』

更叫成祖生氣的是，當成祖發動反攻時，鐵鉉自知不敵，竟然命人削木頭，製成幾百塊大大的木牌，召集濟南城中的讀書人，集體趕工，在木牌上工工整整地寫上『太祖高皇帝神牌』。趁著半夜，掛滿了城牆外頭。

到了第二天一大早，成祖準備了數十斤重的石炮，要把濟南城給攻破。

忽然，燕兵發現一面二面三面……數不清的神牌，誰也不敢開炮，這一炮轟過去，直接打在明太祖的神牌上。中國人最重孝道，見到先人神牌，理該下跪，豈可以炮轟？

成祖知道了，氣得順手拿起一個茶碗，在地上狠狠一摔：『哼，鐵鉉，眞有你的！』

脾氣發過了之後，非但不敢開炮，並且遙遙向神牌行大禮。鐵鉉乘機追殺，收復德州。

當然，成祖對鐵鉉，眞是恨不得剝了他的皮，才能消除心頭之恨。因此，當成祖正式即位以後，他左盼右盼的日子終於到了，他要看看鐵鉉如何向他討饒。

沒想到，鐵鉉到底是一條鐵錚錚的漢子，他被押到殿堂，鐵青著臉，一語不發，默然地轉個身，屁股對著皇帝，表示不屑一顧。

按，古人是極重禮節的，書香世家，兒女絕不能以背對父母，告退之後，要離開父母視線以後，才能轉身。鐵鉉這一個舉動，明顯地表示對成祖的不屑，也存心讓成祖在其他大臣面前難堪。

成祖忍下這口氣，對鐵鉉說：『其實，朕可以饒你一死。』

鐵鉉不領情，倨傲地回答：『一死何足以道哉，大丈夫寧死不屈！』

『好，有你的！』

成祖血液裏，同樣流竄著明太祖殘忍的因子，他要讓大家瞧瞧，不聽命於他是怎樣的下場。尤其他篡了姪兒的位，天下人未必心服，非立威不可。

於是，成祖就命令手下：『把鐵鉉的耳朵、鼻子割下來！』

鮮血淋漓的肉割下以後，成祖更進一步，當場烤熟，命人把肉硬塞到鐵鉉口中。肉烤焦的刺鼻味，充塞在空氣之中。

成祖殘酷地下令：『吃啊，味道香不香？』

鐵鉉也眞不愧爲一條硬漢，他眞的吃將起來，左咀右嚼，彷彿在品嘗山珍海味。

咕嘟一聲吞下肚子以後，鐵鉉揚聲笑道：『這是天下忠臣孝子之肉，焉得不味美？』

言下之意，你成祖乃不忠不孝之人，連肉都是臭的，送給我吃，我還嫌腥哩。

在場之人，臉上都露出驚怖又尊敬的神色。成祖看在眼裏，氣在心裏。他下令，把鐵鉉的肉，一小片一小片割下來，看看誰還敢效法鐵鉉，如此挖苦皇上？

鐵鉉斷氣之後，成祖餘怒未消，又把他的屍體扔到油鍋裏去炸。奇怪的是，屍體仍是背往上，似乎是鐵鉉死了以後，還是不屑於正視成祖。成祖氣得如油鍋般猛烈，他命人拿鐵棍把屍體翻個身，非讓鐵鉉正面朝上不可。豈料沸騰的油濺起一丈多高，險些燙著成祖，成祖只好作罷，停止了虐待性的行爲。

另有一個叫景清的人，也讓成祖氣得七竅生煙，怒不可遏。景清本姓耿，眞寧人氏。建文初年，曾任北平參議，派去試探燕王（成祖）虛實。

景清是個博學之人，與成祖談得極爲投機，成祖始終不疑有他。後來，沒待成祖起事，景清又被調回，擔任左都御史。

景清與方孝孺是無話不談的知己，曾經與方孝孺一同發誓，如果有一天，惠帝失敗，他二人必將殉國。

方孝孺不屈而死之後，景清前往歸附成祖。成祖見到景清，眞有見到老朋友般的歡喜，他拉著景清，到處向人介紹：『這是故人，快快恢復原職。』

這一方面是故人之情，一方面成祖也存心做給天下人看，畢竟還是有不少有識之士支持成祖。

景清來歸之後，君臣二人相處甚歡。一晃之下，過了兩三個月。

有一天早上，相士警告成祖：『異星赤色犯帝座急。』

等到上朝之時，獨獨景清一人穿了紅色衣服，成祖心忖：『莫非，他就是赤色異星。』一聲令下：『搜！』

果然，景清身上搜出一把銳利的短刃。

景清見事跡敗露，功虧一簣，又惱又氣，開始破口大罵，什麼『不忠不孝、不仁不義的東西。』一切難聽的話全部都脫口而出。

成祖又驚又恨，命人賞景清的耳光，景清仍舊罵個不休；又命人敲掉景清的牙齒，牙齒一顆一顆迸落到地，他還是在數成祖的罪狀，並且把打落牙齒的鮮血，『咻』的一聲，噴到成祖簇新的龍袍上，含糊不清地反覆訴說：『我恨我沒能爲故主報仇。』

成祖氣得血脈僨張，趕緊叫人把景清給醢了（醢，剁成肉醬）。

事情過了不久，某日中午，成祖午覺，夢到景清繞著殿內柱子追殺他，成祖沒命地逃，景清苦苦地追。最後，快追到了，成祖大叫一聲，從惡夢中醒來，汗出如漿，恨恨地說：『景清成了厲鬼嗎？』

爲了報仇，成祖下令，誅景清九族，把景清先人的冢墓挖光，甚且將景清家鄉夷爲平地，村里成爲廢墟，這樣悲慘的情形，當時人稱之爲『瓜蔓抄』。

閱讀心得

【第735篇】胡濙尋訪仙人張三丰。

明成祖奪得天下以後，對付異己的恐怖慘烈，可以說超過中國歷史上任何一幕亡國的禍難。除了鐵鉉與景清之外，我們再根據清朝人谷應泰所著的《明史紀事本末》中的『壬午殉難』，舉出兩個例子：

練子寧是惠帝手下的忠臣，當李景隆失敗，練子寧曾經慷慨激昂地要求朝廷誅李景隆。

練子寧十分憤慨，叩首大哭：『臣身為御史大夫，不能為朝廷除賣國奸，死有餘罪，如果陛下赦免李景隆，請賜臣一死。』

結果，仁弱的惠帝赦了李景隆，當然，也沒有賜練子寧一死。

這麼一位烈性漢子的練子寧，在成祖即位以後，被綁到成祖朝堂，仍然不屈服地破口大罵不止。

成祖聽著心煩，下令：『把他的舌頭給割了。』並且宣諭：『我是要仿效周公輔佐成王。』按周公是中國政治上最偉大的政治家，他是周文王的兒子，武王的弟弟，成王的叔叔。

武王去世之前，想把王位讓給周公，周公卻願意輔佐姪兒幼主成王，任勞任怨，爲周朝立下千年不拔的基業與制度。

因爲惠帝也是成祖的姪兒，所以，成祖才有此一比，當然，情況並不

相同。

已經被拔舌的練子寧，看到成祖如此爲自己貼金，實在看不過去。他冷笑一聲，用食指伸到嘴裏，以鮮血在地上書寫四個大字：『成王安在？』成祖一見，老羞成怒，不但把練子寧給殺了，還把他宗族一百五十一人陪葬。

另有一名司中者，惹怒了成祖，也是不肯屈服，成祖竟然殘忍地，發明一種鐵掃帚，把司中的皮膚和肌肉用鐵掃帚掃爛。

除了成祖親自下手的，其他慘烈殉難或是闔家自殺者不計其數。

例如，有一位叫王艮的人，是建文二年的進士，對策考了第一，但是，實在長相醜陋，就被第二名胡靖（也就是胡廣）頂替。

王艮、胡廣與第三名的李貫，恰好是同里的小同鄉，第一甲三名都是同鄉，眞是鄰里之光，巧的是三人都在文史館工作，修明太祖實錄。燕兵進攻京城時，王艮已做了殉難的打算，他與妻子訣別道：『食人之祿者，死人之事，我不能復生矣。』

當天晚上，王艮、胡廣與吳溥、解縉等一干好友在吳溥家裏聊天，大家平日都是鄰居好友，談得慷慨激昂，胡廣尤其悲憤到了極點，王艮倒是少開口，只是一個人默默地掉眼淚。

等到客人走光了，吳溥的小兒子對吳溥說：『爹，胡叔叔能爲國殉難，倒是一件佳事。』

吳溥搖搖頭道：『不然，只有王叔叔會死。』

吳溥的兒子正要開口問：『爲什麼？』話還沒說完，隔牆傳來胡廣的吆喝聲：『外頭吵得很，小心豬欄裏的小豬。』

吳溥拍拍兒子的小腦袋：『你瞧，胡叔叔連一隻小豬都捨不得，怎麼會捨棄生命呢？』

不一會兒，左鄰傳來哭聲，原來，王艮已服毒自殺。

後來，胡廣倒是爲明朝做過不少事，是明代著名的學者。由此看來，捨不得小豬，捨不得犧牲性命者，並不見得是壞人。不過，那些受了宋元理學的影響的士大夫，捨生赴義，上刀山、下油鍋，始終不畏不懼，仍然是值得佩服的。

正因爲有這麼一批不怕死的忠臣烈士，始終對惠帝盡忠，而惠帝又不知所向，讓明成祖夜夜不得安眠。

成祖又不方便明目張膽，像捉拿逃犯一般，開出賞金緝拿惠帝，他只有偷偷摸摸私下裏找人搜索，負起這個重責大任的人，便是胡濙。

胡濙生下來，很奇怪，滿頭白髮，像個老先生，過了一個月，才逐漸轉成黑髮。他是建文二年的進士。

成祖交給胡濙表面上的任務，是尋訪仙人張邋遢（張三丰）。

張邋遢，名全一，又名君寶，因爲不飾邊幅，邋邋遢遢，所以又號張邋遢，長得是龜形鶴背，大耳圓目，鬚髯如戟（戟是有小叉的兵器）。不論寒暑，只著一衲一蓑，一頓能食一升，也可以數日一食，或數月不食，能日行千里，當時人把他當神仙。

明太祖朱元璋久聞其名，到處尋張三丰，卻總也尋不著。後來，張三丰到了寶雞的金臺觀，有一天，自己說：『該死了！』沒多久，果然死了，縣人把他入了棺，正要家葬，忽然聽到棺木內有聲音，拔開釘子，他又活蹦亂跳走了出來。

因爲有這段玄妙的故事，成祖便借尋張三丰之名，找惠帝下落。

胡濙爲了完成這一項任務，眞是萬分辛苦，他曾經在外十四年，不知尋遍多少名山大川，窮鄉僻壤，奔奔忙忙，尋尋覓覓，卻無所獲。

甚且，在這一段時間，他遭到母喪，請求丁憂回籍，成祖都不准，非逼他繼續找下去。

在中國古代，以孝治天下，父母之喪是一件天大之事，凡是孝子都得回家守孝三年。明代尤其認眞，就算是入閣拜相，也要辭官回家守墓三年，這便是丁憂。

只有一種例外，在前線正在打仗的將軍，不得已，移孝作忠，稱之爲『奪情』——以國事爲重，奪去其親子之情。

胡濙不過是去『找一個張邋遢』，何必『奪情』，其中自然大有文章。

閱讀心得

【第736篇】

細說從頭話宦官。

明成祖派遣胡濙上天下海，到處尋訪惠帝，連胡濙母親過世，都不准他回鄉里奔喪。

後來，聽人家說起，惠帝逃亡海外，並且在海外建立了強大的勢力。於是，成祖派遣宦官鄭和出使，這便是歷史上鼎鼎有名的『三保太監下西洋』。

明朝官員，人才濟濟，成祖爲何要挑一個太監（即宦官）扛大旗？說穿了，倒也不奇怪，他派遣胡濙尋訪惠帝，不也是打著搜尋張三丰的名義嗎？追捕惠帝，可不是什麼光彩之事，難怪成祖捨官吏而求鄭和。

事實上，遠在唐朝，皇帝經常派遣宦官擔任使者辦事。在唐代史料之中，宦官奉皇帝差遣外出辦事（稱爲中使）的記載不可勝數，任務亦甚爲龐雜。

藉這個機會，讓我們對『宦官』細說從頭，相信也是讀者們願意了解的：

所謂宦官，指的是割除了男性生殖器官，在宮中侍奉帝后等的閹人。

中國的宦官，到底起自何時，已經不可考。不過，最早的文獻書籍，則是出自《周禮》，在《周禮》一書之中，宦官被稱之爲閹、寺、豎。後來，

宦官又名內監、中官、太監、閹寺等等。

宦官最初的職責大概是守門。『閹』這個字，在《說文》一書中的解釋是『豎也，宮中閹閽閉門者。』寺也是監察出入之意。在漢朝時，宦官常被任命爲黃門令，黃門即宮門，宦官便是看門的人。

最早期，宦官不過是守門而已，而且那個時代，宮室不大；門也不多，所以人數如周禮所說，不超過百人，後來，因爲宦官要做的事太多，宦官人數不斷明顯地增加，到了明朝、清朝，宦官人數多達成千上萬，眞是嚇人。

爲什麼要有宦官？爲什麼要有這麼殘忍的措施？這與中國古代家天下大有關係。在中國古代專制政治之下，一個王朝的延續，就表示由皇帝一姓相承，例如唐朝姓李，明朝姓朱，如果換了一個姓，那就表示改朝換代了。

在這種情況之下，皇宮內的男性工作人員必須慎加防備，以免皇子的血緣發生疑問，這便是宦官的由來。

除了中國之外，埃及、阿拉伯也有宦官，尤其阿拉伯國家最多，甚且有人說，一九九一年波斯灣戰爭爆發，美國國內不少民眾反對出兵援救科威特，理由就是科威特國王賈柏是個荒淫之君，宮內還有宦官。

那麼，宦官到底是打那兒來的呢？又沒有人生下來就願意當宦官，一輩子抬不起頭來。

在中國，宦官最早的來源有二，一是在戰爭期間擄掠的俘虜，一是罪人的家屬。把罪人家屬沒收當奴隸，向來是宦官重要的來源，例如秦朝著名的宦官趙高，便是年幼時被閹割，送入宮中。

後來，還有一些宦官，則是在宮裏頭已經混出局面的宦官，爲了增添勢力，坐大羽翼，回到家鄉招兵買馬，搜購一些貧困的幼童，帶入宮中，閹割之後，做了小宦官。

幼童的父母，爲了貪圖錢財，便把孩子賣掉。從某個角度而言，這與狠心父母賣女兒當雛妓也差不多。

還有一種宦官，則是年歲已大，走投無路，乾脆一狠心，自己自願走上這一條路。例如明朝大宦官魏忠賢，原是市井無賴，游手好閒，欠了一屁股的賭債，被人追殺，這才躲入皇宮，賴掉賭債。

中國人一向最重視傳宗接代，所謂是『不孝有三，無後爲大』。宦官喪失了這方面的功能，爲社會所瞧不起。尤其宦官不長鬍鬚，嗓音尖窄刺耳，男不男、女不女，一般人總投以厭惡鄙視的眼光。宦官普遍具有強烈的自卑感，便會要求『過度補償』，使自己超越他人。因此，造成宦官往往不顧法紀爭奪權勢，以誇張政治上的地位，敢於不顧道德標準貪贓枉法，顯耀財富。

宦官總是仗勢欺人，狐假虎威，也有其可憫之處。宦官的職責是伺候諸王公主，后妃嬪御，這些人都是天之驕子，呼來叱去、拳打腳踢可說是家常便飯。稍一不小心，很可能就遭來橫禍。宮闈鬥爭，既卑鄙又陰險，宦官自小在這種陰暗的環境中長大，近墨者黑，當然也學會了許多狡詐的本事。

另外，宦官人數衆多，想要在這其中出人頭地，也是一門厚黑學。好不容易熬出頭了，可以奉派出外辦事了，無論是自己搜括財物，求取心理上的補償，或者是替主子羅掘財物，都想狠狠撈上一票，也就更增加人民的惡感了。

再加上宦官書讀得少，沒有受過傳統學術的薰陶，即便虐民害國，心裏也沒有罪惡感，他既不能求名，不能求家庭溫暖，也就只能盡全力追逐個人私利。

宦官最怕的是政治清明，井然有序，如此一來，他們就沒有混水摸魚的機會了。所以，從中國歷史上看來，凡是朝代末年，也正是宦官最爲活躍起勁的年代，東漢外戚宦官鬥爭慘烈，唐朝宦官立君弒君如同兒戲，甚且由於宦官掌權，皇帝居宮中等於是廣義之模範監獄。

閱讀心得

【第737篇】明太祖貶抑宦官。

上一篇，我們說了宦官的始末。明太祖朱元璋起自民間，所以，他原也與一般民衆相同，提起宦官的作威作福，就忍不住咬牙切齒罵上一通。

明太祖即位之初，每次談到宦官，總是滿臉不屑道：『這批人千百個之中選不出一個好的，如用他們爲耳目，則耳目蔽障；如用他們爲心腹，則心腹生病。駕馭宦官的辦法，在於使他們畏法，不可以讓他們有功勞。』

明太祖並且常常以《周禮》一書爲例子，他掛在口邊的口頭禪是：『朕觀周禮一書，閹寺不及百人，後世常超過幾千人，眞是不必要。』

話雖如此，事實上，在朱元璋還是吳王時代，便用了不少宦官，人數已超過一千，等到了洪武初年，更發展出二十四衙門、十二監、四司、八局，宦官的人數也就愈來愈膨脹。

甚且，有一回李文忠（太祖姪子）建議朱元璋：『內臣（宦官）太多，應該稍微減少一些。』

朱元璋勃然變色：『你想要削弱我的羽翼是什麼用意？這一定是你門客的壞主意。』

爲了洩憤，朱元璋竟然把李文忠的門客全給殺了。李文忠驚嚇過度，暴卒而亡。

皇帝為什麼需要這許多宦官呢？這是有理由的，譬如『尚衣監』是管理御用冠冕、袍服、鞋襪等，譬如『糖醋局』是管理宮內食用糖醋、糖醬等。每監局的宦官人數就不少，而且又不斷增加，加上各監局可以隨時招收工匠。到了明朝末年，宮裏宮外加起來的宦官竟達十萬之多。

同時，洪武十三年，明太祖受到胡惟庸造反的刺激，罷丞相，廢中書省，集大權於一身，不論他如何能幹，總要找人幫忙，無可避免的，宦官的責任也加重了。

明太祖眼看著，宦官一天比一天增加，他天生的疑心病又犯了，於是，訂出許多規範；例如：內臣與外官不得互通消息、內臣不得用外臣冠服、官階不得高過四品等……

另外，為了釜底抽薪，他還立了這麼兩條：『內臣不得識字』、『內臣不得干預政事』。

在《太祖實錄》之中，也有記載：『內官不得干預外事』一條。

據說，有一回，某個服侍他多年的老太監，偶爾提起：『最近朝廷上……』如何如何。話還沒說完，明太祖眼睛一瞪，老太監馬上知道自己大嘴巴，噤口不敢言。

太祖煩躁地揮揮手：『你回老家去吧，這兒不能留了。』

太孫允炆自幼在太祖身邊長大，常聽到太祖對他說：『為政必須謹守內外之防。前代人君不小心，縱容宦寺與外臣交通，假竊威權，危亂國家，漢朝、唐朝的教訓，不可不牢記在心。』

等到允炆即位，是爲惠帝。他深受儒家思想薰陶，在他看來，宦官都是小人。因此惠帝雖然以寬柔著稱，對於宦官，卻是向來不稍假辭色，甚且比太祖還要加倍嚴厲。

例如：惠帝曾經下諭地方官吏，若是內侍外出辦事，凡有違法之處，地方官吏可以治罪。這樣一來，宦官出使，就不敢狐假虎威了。

對於宮內太監，惠帝素來嚴加管教，稍微犯錯，立刻大刑伺候。宦官們都受不了，甚且有悄悄逃出宮者。

另一方面，燕王則借重宦官，替他搜集宮內情報，對宦官十分的禮遇，相形之下宦官們自然傾向於燕王。

燕王起兵以後，戰事開展不如預期之中順利，正在沮喪之時，又有惠帝的宦官來奔，密報『南京空虛可取』。

燕王大喜，下了重大決定：『頻年用兵，沒完沒了，今日臨江一決，不再北返。』放手大幹一場。

這回出師，不過半年，打到南京，一路之上都有惠帝的宦官跑來洩露南京虛實，讓燕王順順利利當上了明成祖。

明成祖好不容易坐上了皇帝的寶座。回顧來時路，深深覺得，受到許多宦官的幫助，尤其在臨危之時，只有身邊的宦官，如同親人一般熟悉可靠。

因此，成祖登基，一反太祖作風，開始重用宦官。他派遣許多宦官到各地鎮軍，成祖的帝位得來不名譽，特別不放心各地將領。

於是，這些曾經被惠帝壓得慘兮兮，彷彿小媳婦們的宦官，現在可抖起來了。

當然，少不得有人批評成祖，責備他『違背祖訓』。成祖可是不承認，他反駁道：『朕完全遵守太祖遺訓，若是沒有御寶文書，凡一軍一民，中官不能擅自命令。』

成祖的辯白，其實是沒道理的，他父親太祖掛在嘴邊的話是：『此輩只能掃掃地、灑灑水……。』

歷史是不斷重演著，明太祖看到了宦官的危害，想盡了各種辦法，壓制宦官。明太祖死了不久，明成祖又開始重用宦官，所謂『一朝天子一朝臣』。在中國古代封建社會，一切制度都因人而異。

由於成祖開始重用宦官，又爲明朝歷史寫下不尋常的一頁。

閱讀心得

【第738篇】明太祖開始下西洋。

談到『三保太監下西洋』，人們都以爲鄭和是明朝下西洋第一人，從明成祖時代開始。

其實，遠在明太祖時，就曾經派遣多人出使南洋，例如：吳用、顏宗魯出使爪哇。劉叔勉出使西洋瑣里。趙述出使三佛齊。沈秩出使浡尼……所謂下西洋，此西洋並不是我們今天所稱之歐美，而是東南亞到印度洋一帶。

明太祖為何要遣使下西洋？

這是由於他統一中國之後，急於讓南洋諸國知道，中國已經改朝換代，屬於朱家的天下了，趕快向明太祖表示臣服的儀節，繳回元朝政府頒授的印綬冊誥，表明與元朝正式脫離關係。然後，接受明朝政府重新頒給的印綬冊誥，成為新的藩屬。最後，明朝頒賜大統曆，表示奉明朝正朔世世代代永為藩臣。

在明成祖時代，鄭和也不是第一個出海的使臣。早在永樂元年，明成祖就已經曾派尹慶出使滿剌加、古里等國。

不過，以前的出使都是人數很少的使節團，鄭和奉命下西洋才是眞正大規模出使海外。鄭和雀屏中選，擔任出使的負責人，據說是成祖在召集

平底船圖

大臣議政之時，道教國師張天師推薦鄭和：『小臣看鄭和這個人，有膽量，有智謀，實在是下西洋最適當的人才。』

事實上，鄭和早是成祖心目中第一人選，既然有人推薦，恰好正中下懷。

明成祖爲何要勞師動衆，出使南洋？一般說來，共有六種原因。

第一、惠帝失蹤，下落不明，成祖始終忐忑不安。有些史家認爲，惠帝在當皇帝之時，仁弱無用，才被成祖打敗，成祖登上皇帝之後，何必再畏懼惠帝？

成祖畏懼的，並不是惠帝本人，而是如鐵鉉一般鐵錚錚誓死衛護惠帝的漢子，以及想要利用惠帝名義，乘機而起的野心家。

自從聽到謠言，說是惠帝遠走海外，準備東山再起，成祖就寢食難安，做夢都夢到惠帝自海上殺過來報仇。

成祖的擔憂，並不是沒有道理的，宋朝滅亡以後，即有宋帝後裔逃到九龍一帶，許多舊臣都紛紛跟隨而去，建屋而居，後來，當地改名爲宋王台，一直到今天，還留下遺跡。因此，尋訪惠帝蹤跡，斬草除根，防止春風吹又生，是鄭和下西洋最重要的理由。

第二、元朝滅亡之後，元代後裔，情勢十分紊亂，其中有一個名叫帖木兒者，懷有雄心大志，自稱爲成吉思汗的後裔，並且在永樂三年撒馬兒罕大會之中，公開宣稱：『對明朝宣戰。』

成吉思汗的英勇神武，世人皆知，萬一果眞出現第二個成吉思汗，明朝可要大受威脅。

所以，成祖急欲締結海外軍事同盟，聯合對抗帖木兒，萬萬不能讓帖木兒坐大。

第三個原因，明成祖要掃清張士誠留下來的水師，以免與日本倭寇相結合。

第四個原因，是倭寇（即日本）常常跑到中國沿海來騷擾，殺人放火、搶奪財物，明朝政府不堪其擾，卻又無可奈何。

由於中國的海岸線極長，想要剿平倭寇並不容易。即使是雷厲風行，倭寇見苗頭不對，就暫時躲到南洋群島一帶，就像是警察抓地攤，攤販見了警察來了，暫時躲在一旁，一會兒，警察走了，攤販又大肆活動一般。

成祖命鄭和出海，原因之一，也是讓倭寇見識一下大明朝天朝上國的神威，避免對沿岸的騷擾。

第五個原因是爲了經濟上的理由。

明朝自太祖建國之後，連年戰爭頻繁，北伐南討，軍費龐大。成祖發動靖難以後，轉戰四載，處處民不聊生。成祖即位之後，爲發展國內經濟，想到對南洋的海外貿易，希望用明朝的錦綺瓷漆，換取南洋的香藥寶貨，用以充實國庫。

南洋進口的貨物，多半是難得一見的奢侈品，正如同黃省曾在西洋朝貢典錄中所說的：『明月之珠，鴉鶻之石，沈南龍速之香，麟獅孔翠之奇，梅腦薇露之珍，珊瑚瑤琨之美……。』

這些奢侈的舶來品，一如今天一般，是有錢人歡喜購買的。而中國所產的錦綺瓷漆又是南洋群島人民所歡喜的，如此一來一往，中間商人可以致富，國家的府庫也得以充實。

相反的，如果明朝政府斷然地實行太祖遺訓：『片版不得入海。』沿海居民，因爲生活的壓迫，照樣會私自出海，往往變成海盜。

最後一個原因，鄭和下西洋的目的是『耀兵異地，示中國富強』，使『諸國盡來朝貢』。

古代中國歷朝歷代，都充滿著『天朝上國』的思想。中國對待藩屬，只要求他們稱臣進貢，並不準備征服藩屬。事實上，皇帝頒賜給藩屬的，往往超過他們的進貢，藩屬國内若是發生内戰，中國還代爲平亂，並沒有與西方帝國主義一般，非納爲殖民地，剝削榨乾才滿足。以上是鄭和出海的六大原因。事實上，成祖之所以傾全國之力，支持鄭和下西洋，必然是有多方面的理由。

鄭和下西洋是中國歷史上的一件大事，也可以說是世界上最早、最重要，而且規模最大、活動範圍最廣的一次航海壯舉。哥倫布發現新大陸是一四九二年，達伽馬取道好望角，到達印度是一四九八年，鄭和下西洋是一四〇五年，永樂三年開始，所以，在世界航海史上，鄭和也是值得大書特書的英雄。

【第739篇】

鄭和原來姓馬。

義大利人哥倫布，在西元一四九二年，接受西班牙國王斐迪南及皇后伊薩伯拉的幫助，渡過大西洋，發現美洲新大陸，這是西洋史上重大的事件。哥倫布航海的點點滴滴，也是西方人所熟悉，並且多次被拍成電影。

哥倫布生於一四五一年，卒於一五〇六年，明朝的鄭和生於明太祖洪武四年（西元一三七一年），卒於明宣宗宣德十年（西元一四三五年），早於哥倫布數十年，同樣是航海史上的英雄。鄭和七次出海，遠達印度、阿拉伯與東非沿海地區。如果中國與西方人一般，鄭和所到之處，都可以建立起殖民地的話，那麼，明朝已經是世界性的大帝國了。可是，明朝人沒有這麼大的野心，他們沒有在所到之地建立殖民地政府，只要諸國朝貢中國，他們仍然承認當地原有的政府，不加以任何干預。

西方人對哥倫布十分了解，中國人對鄭和卻所知有限，明史中的鄭和傳，只草草記載了七百五十七個字，對於他的偉大的航海事業，並沒有詳細的記載，中國人對於鄭和的認識，多半來自明朝人羅懋登所寫的《西洋通俗演義》，這本書之中，描寫的都是神魔鬼怪，反而忽略了鄭和實際的豐功偉業。

今人徐玉虎先生、陳存仁先生對鄭和極有研究，尤其陳存仁先生，原

是香港有名的中醫，因爲鄭和把中國藥物大量傳到外國，又帶回不少國外藥物，從而對鄭和產生極大的興趣，凡鄭和足跡所到之處，陳存仁都去走了一遭，記載當地流傳的故事，拍下許多珍貴的照片。

筆者爲了介紹鄭和，參考了許多資料，也向許多馬來西亞、泰國僑生打聽鄭和流傳下來的軼聞，希望能讓讀者看到一個鮮活的鄭和的故事。

閒話就此打住，我們來看鄭和：

鄭和原不姓鄭，而是姓馬，他是雲南人，和許多雲南人一樣，篤信回教。

鄭和的一世祖是苦魯馬丁，二世祖是馬速忽，三世祖姓名不可考，四世祖叫馬祥顏，他的祖父叫馬哈只，父親也叫馬哈只。

為什麼鄭和的祖父與父親都叫馬哈只？這樣不會弄混嗎？

原來，在回教世界之中，哈只是一種尊號。回教徒認為，一個人一生中，若是能到穆罕默德出生的地方麥加朝聖，那是最為虔誠，也是最可以光宗耀祖之事，朝聖歸來者，便能稱為『哈只』。

一直到今天，回教徒皆以朝聖為最光榮之事。然而，遠在明朝時代，交通不便，沙漠中的高溫足以要人命。而且到麥加朝聖之後，慣例還要到耶路撒冷的大教堂去唸可蘭經，並且奉獻寶物，參觀『耶路撒冷哭牆』等名勝。

『哈只』的尊號不能世襲，鄭和的祖父、父親都是哈只，似乎都去朝過聖，這代表兩個意義：

一、鄭和家必是富豪大族，才有雄厚的經濟力量前往中東朝聖。
二、鄭和的祖先一定身強力壯，才能在風沙蔽日的沙漠之中長途跋涉，鄭和繼承了這等好體魄，足以應付航海的大風大浪。

鄭和的父親馬哈只，據說是相貌奇偉之人，神色凜凜可畏，長相極爲氣派，爲人亦是豪邁爽朗。

如果馬哈只見他人犯了錯，總是出面諄諄勸誡，而不是背後議論長短。因爲馬哈只爲人正直，鄉里之人，都十分敬重他。

馬哈只的夫人姓溫，是位大家閨秀，爲人善良，相夫教子，勤儉持家，她一共生了六個孩子，兩個男的，四個女的，鄭和有一個哥哥，名叫文銘，鄭和家中兄弟姐妹感情十分融洽。

鄭和生於明太祖洪武四年，他的相貌十分奇特，據說他身長七尺，腰大十圍，相當魁梧。臉龐很大，鼻子極小，眉清目秀，齒如編貝，耳長過面。

中國史書總喜歡形容一個人兩耳垂肩，也許認爲耳垂大，表示福氣好，眞要有一個人耳長過面，直垂到肩，一定是十分恐怖。就像是形容雙手過膝一般，豈不成了人猿？

鄭和行如虎步，聲音洪亮，據說他小時候，最歡喜是摺小紙船，摺了以後，投入水中，他一個人目不轉睛，望著小紙船漸行漸遠，覺得有趣極了，後來又用木塊做小木船，樂此不疲。

如鄭和一般顯赫的家世，又是雲南昆陽回教家庭中的望族，按理說來，應該不會把鄭和送去當太監的。

鄭和之所以會被閹割入宮，那是在他十歲左右，傅友德征伐雲南，閹割幼童俘虜。鄭和也在其中。被閹割後的鄭和，就隨著明軍回到南京，接著，被送入宮中，分發到燕王身邊辦事。

鄭和既然原來姓馬，爲什麼又姓鄭？

原來鄭和入宮以後，由於活潑伶俐，很會辦事，深得燕王的喜愛，以後燕王發動靖難，鄭和跟在身邊，南征北討，凡是燕王交代的事，他都辦得妥妥貼貼，而且神情愉快，燕王對他愈看愈喜歡。

後來，靖難成功，燕王當了皇帝，因爲感念鄭和的功績，在永樂二年元月元日親自御書，寫了一個『鄭』字送給他，並且提拔爲內宮太監，也就是太監之中的太監。從此以後，鄭和就成爲他的姓名。

至於鄭和爲什麼又名『三保』呢？

一說是鄭和排行老三，中國人傳統有些地方老大是大寶，鄭和排行第三，所以稱爲三寶，後來有人把三寶寫成『三保』。

一說是鄭和的小名叫三保。

一說是當時內宮的太監多稱三保，例如有某一出使太監稱爲『楊三保』。

還有一說，三保指的是，鄭和、王景弘、侯顯三個人合稱爲三保。

不過，一般史家認爲，三保極可能是小名，他自幼在宮中被人三保來、三保去的呼喚，所以鄭和航海，就成爲人們口中的『三保太監下西洋』。

閱讀心得

【第740篇】鄭和建寶船。

中國船王董浩雲先生，對於在海上有傑出表現的鄭和，有一份惺惺相惜、英雄識英雄之意。據說，他曾經有意把鄭和搬上銀幕，片名就叫『鄭和下西洋』，還特別找來工程師，設計一艘模型船。

董浩雲與香港邵氏公司總裁邵逸夫洽談，邵逸夫算盤一撥，搖頭拒絕：『不行，單單建幾艘寶船，預算就過高，收不回成本。』此事便作罷。

電影中的道具，其實多半粗製濫造，燈光一打，在影片中便顯得美輪美奐，又不是眞正打造寶船下海。

不過，僅僅建造充當場面的道具船，就讓富可敵國的董浩雲歇手。可想而知，當年鄭和的船，該是如何宏偉。後人考證每一艘船約可載七百到一千人，平均每次出航大小船隻，浩浩蕩蕩達一千四百艘，其中寶船（即主力艦）約三十六艘。

鄭和出海，每次人數不一。其中第一次，做過統計，共有二萬七千八百多人，眞是爲數可觀。

鄭和的寶船，到底有多大？是如何興建而成的？始終是個謎。這是因爲中國人歷來不主張冒險，也不提倡『奇技淫巧』。所以這方面的記載，留下來的很少。

鄭和本人，顯然對造船極有研究。據說，他小的時候，最歡喜玩的遊戲，是用硬紙板摺成船的形狀，放在水中，用口吹氣，跟著紙船跑，直到看不見爲止。

長大一點，鄭和改用木塊，製成小木船，放在水裡，載沈載浮，鄭和看在眼中，拍手叫好，覺得有趣極了。

後來，鄭和當了燕王的小跟班，有機會多接觸外界，尤其是燕王發動靖難，逢山開路，逢水造船。鄭和對造船，有了進一步的認識。

明朝人羅懋登所寫的《西洋記》，關於建造寶船之事，倒有一段記載：

明成祖日日夜夜、心心念念早日鄭和能夠出海，因此下詔宣碧峰長老商談建造寶船。

長老回答：『造船可不是一件簡單的事，必須由戶部動支全國各省的錢糧。工部委派專人採辦材料，然後，還得順應天時，選擇地利，挑一個黃道吉日，蓋一所寶船官廠，精選工匠，才能剋日完工。』

成祖想了好一會兒，皺著眉頭閉目沈思，然後，張開眼睛，愁容一掃：『朕有個處分，目前爲了建造皇宮，錢財木料，俱已齊備。朕決定暫時停建，全部移到寶船廠來，如此不至於勞民傷財。』

碧峰長老一聽，合起雙掌，唸了一聲『阿彌陀佛』，欣喜於色道：『聖上如此顧念下民，實乃國家之福。聖上有這份體恤之心，此次下西洋，必然旗開得勝，凱旋來歸。』

成祖被長老這麼一誇，高興得滿臉飛金，趕緊吩咐寫旨，宮內一切工程暫停，全部挪用到造船廠。

廠址設於南京城龍江閣下新河三叉口草鞋夾（這地址可眞長），該地地勢遼闊，一望無際。

由於萬歲爺釘得緊，他天天催，日日盼，不到八個月的工夫，竟造好一千四百五十六條船，可見當時中國科學相當進步，工匠手藝精良，這些寶船的名稱，多爲『清和』、『惠康』、『長寧』、『安濟』、『清遠』等……。

船造好了還不夠。碧峰長老啓稟聖上：『船隻已經齊備，但是，船上還需要鐵錨。』

『鐵錨是做什麼用的？』

『鐵錨是用來穩定船舶停住的重要工具，萬一遇著大風大浪，可以靠近沿岸地帶，拋錨暫駐。』

既然鐵錨是如此重要，一時之間，城裡城外，打熟鐵的，鑄生鐵的，打熟銅的，鑄生銅的，全體動員前往鐵錨廠報到。同時，官府發下了幾十面的虎頭牌，送到各省直府、州縣道，召集鐵匠火速赴鐵錨廠。

其中，還穿插著一段故事：

據說，一大群人馬，敲敲打打、磨磨蹭蹭一個多月，半個錨也沒有打造出來。

有一天，鄭和到廠裡巡查，只見大夥兒圍著一位老工匠，老工匠順手拿了一把碎片，這麼左轉轉，右弄弄，像變戲法似的，轉眼間完成一只漂亮細緻的碗。眾人都拍手喝采，還有人吆喝：『再來一個。』

鄭和趨前，客氣地請教老工匠：『你踞碗的功夫不壞，不曉得你可會鑄錨？』

老工匠瞟了一眼鄭和，端起架子說：『錨我是會鑄的，不過，要建一座臺，拜我爲師，賜我一口尚方寶劍，工作時間由我支配。』

鄭和回答：『前兩樣沒問題，時間可不能拖，聖旨的限期是一百天，現在已經過了四十多天了。』

『還有六十天，絕對沒問題。』老工匠拍拍胸脯，自信滿滿地一口答應。

第二天，來了三位總督，包括鄭和、王尚書與馬尚書，三人一字排開，把老工匠請到台上，恭恭敬敬拜他爲師，又送上一口尚方寶劍。

典禮完成以後，老工匠跑到外頭，東看看、西瞧瞧，回來大吃大喝一頓，倒頭便睡。

第二天一大早，他吩咐工匠搭起席篷，四周圍起一匝又一匝，一層又一層，他一個人端坐在裡頭，不知道在搞什麼名堂。

日子一天天過去，老工匠還是在席篷裡坐關。有人說：『莫非他在作法？』也有人說：『或者已經開溜了。』

有一天，老工匠忽然掀開席篷，跑了出來，原來他做了一個磨盤心，共有四十九個圈圈，他命令工匠們：『快在每一個圈圈上建爐灶。』

爐灶建好了，就往上頭加煤加鐵，然後一舉火把，燒了十四天以後，老工匠把磨盤心掀開，原來地下已堆滿了鐵錨，還有一口尚方寶劍。老工匠笑咪咪道：『鐵錨剛好夠用，但是，不能點數。』

『為什麼？』鄭和轉頭要問，老工匠已消失無影無蹤了。

原來，老工匠是神仙下凡來幫忙啊！

中國古代一定工藝水準不凡，才能打造一流鐵錨，可惜，中國人不注重科學，視為『奇技淫巧』，把一切成果歸之於神仙。

閱讀心得

【第741篇】

禮炮、桐油、藥材。

鄭和出海的寶船，究竟有多大，始終是個謎。明史鄭和傳中記載的：『造大船，修四十四丈，廣十八丈。』卻是個笑話。按造船的長與寬比例，一般而言是九比一，照明史中的記載是七比三。如此胖嘟嘟的『中廣』身材，根本無法下海。中國人對數字觀念一向模模糊糊，所以，史官也就隨隨便便亂寫一通了。

海洋風大浪猛，鄭和下西洋，浩浩蕩蕩，二萬七千多人平安往返，造船技術必須十分精良。可惜，中國人素來重視人文，輕視科學。因此，古代也有如寶船一般閃亮的科學光點，卻終究不能成爲一片燦爛輝煌的科學面，這是十分遺憾之事。

鄭和除了懂得造好船，也懂得如何維修船隻。除了出海的每一艘船，船身都用桐油抹遍，並且在船上攜帶大量桐油。桐油具有防蟲防蛀的功用，隨著鄭和的寶船，桐油也逐漸爲歐美國家所知，開始向中國進口桐油，後來，歐美國家也開始種植桐樹。現在我們所使用的油漆，其中就含有桐油的成分。

除了造船廠、鐵錨廠，鄭和另外還設立了一個專門製造槍炮的工廠。尤其是炮廠的規模最大。這個炮，主要並不是用來攻擊敵人，而是作爲發

射禮炮之用。

目前的國際慣例在幾種情形之下，會放禮炮，一是國慶日與重要紀念日；二是元首就職；三是國內外元首與高級軍政長官到達或離開部隊駐地或軍艦之時；四是本國或外國軍艦停泊外國或國內港灣，遇到駐在國或該艦所屬國的慶典時。施放禮炮均須按照規定之數，典禮愈是隆重，禮炮數愈多，如向元首致敬而鳴放的禮炮爲二十一響，是最高數。

聰明的鄭和，很早就發現大炮的妙用。他預計每到一地，就先瞄準一塊空曠無人之處，然後，拉動炮門，一聲巨響，炮彈破空而起，『轟』的一聲，吸引了許多群眾飛奔而來看熱鬧，也先聲奪人讓群眾敬畏三分。果然，後來鄭和出發以後，每次都是如此『一炮而紅』，許多地方的領袖，甚且聞炮聲即匍匐下跪，鄭和不費吹灰之力，就輕易地完成任務。在今天印尼三寶瓏，還有一尊鄭和使用的大炮，供遊客憑弔。

除了製炮，其他刀槍、弓箭與矛盾也是必須重新打造。筆挺的新軍服，配帶亮閃閃的新武器，這才能達到『宣揚國威』的效果啊。

鄭和的寶船之上，還有兩項極爲重要的儀器，一是日晷，一是羅盤。日晷主要是依據太陽光，由光起光落，用來推算時間，並且能夠推斷經緯線。

到了夜晚，日晷自然無法派上用場，鄭和便改用觀察星斗位置，用來航行，稱之爲『過洋牽星』。

至於羅盤，主要是利用上面的指南針，用來確定方向。中國最早記錄用指南針來航海，是宋朝朱彧在《萍州可談》中的記載，而他是根據沈括的研究而寫的。

關於沈括的故事，在本書的〈沈括十項全能〉之中，曾經介紹。

指南針是中國三大發明之一（其他兩項是火藥與印刷術），在這兒，我們再補充一段沈括改進指南針的小故事：

指南針在中國，雖然流傳久矣，也是世界上一件大事，但是，指南針經常不是十分準確，尤其是放到水面之上時，水面搖搖晃晃，指南針也就跟著搖頭擺尾，方向不準。

因此，沈括開始做實驗，他發現，若是把指南針放置在指甲邊，或者飯碗旁，指南針十分靈敏，轉動極快，不過，十分容易滑落下來。

經過一次又一次的實驗，沈括一再比較，結果是把指南針懸掛在絲線上面，非常準確，所以，沈括改良了指南針，從繭中抽出一條長長的單股絲線，然後，用一塊如芥果子般大小的蠟，把絲黏在針胺上，如此，指南針既敏銳又正確。

中國是禮義之邦，鄭和遠道而來，當然要攜帶大批禮物。爲了表示天朝上國的威儀，明成祖出手闊綽，他送給各國領袖的禮物，多半是絲綢綾羅，以及瓷器。中國因爲盛產瓷器，洋人遂稱瓷器 CHINA 爲中國的洋名。

鄭和攜帶出海的瓷器，可都是一等一的上好貨色，包括定窯（河北曲陽縣）、鈞窯（河南省禹縣）的最佳產品。

另外，鄭和又攜帶大量上好的綾、羅、綢、緞、絲、麻，甚且帶了紡紗機，有人說，印度聖雄甘地，爲了反抗英國人，拒用洋機器，走到那兒便帶到那兒的手搖紡紗機，就是鄭和下西洋時帶去的。

鄭和出海，一去就是來回兩三年，萬一航海中途，有人生病了，怎麼辦？因此，鄭和每回出海，無不攜帶大批藥物，根據陳存仁先生珍藏的上海回教領袖馬亦祥所藏的『三保太監出海所備藥物單』，其中包括：黃連一百六十斤，大黃兩擔，黃芩八十五斤，龍膽草一擔，巴豆十斤，……驚風散五百瓶，黃土丸二千瓶，麻黃十斤……，舉凡傷風感冒，驚風暈浪，跌打刀傷……一切航海所需的藥物都囊括其中。

他還帶了一部手抄本的藥方，要是船員發生腸胃炎、喉痛、傷寒等病痛，就當蒙古大夫按方抓藥，竟然也治癒了『不少人』。

遺澤。

今天東南亞一帶，中醫盛行，中藥鋪子處處可見，也算是鄭和留下的

閱讀心得

【第742篇】

鄭和主持國際聯姻。

鄭和航海誌中有記載說，船隊中有木材匠、舍人、通事、買辦、書算手、醫官、醫士……等幾十種。醫官醫士達一百八十多名，平均每一百五十人之中，有一醫務人員。

鄭和對醫務人員之重視，可見得其爲人之體貼。

除此之外，鄭和的寶船上，還載有許多人才：舍人就是其中重要的一項。

什麼是舌人呢？舌人者，是專靠口舌吃飯的人，用現代的話說，就是從事翻譯工作的人。

鄭和對舌人，挑得很嚴格，除了精通當地語言，還要儀態大方，進退有節。因爲舌人要代表皇帝宣讀聖旨，若是其貌不揚，舉止猥瑣，豈不丟了大明朝的臉？

鄭和也深諳禮賢下士之道。例如，他聽說西安大清眞寺掌教哈三，不但精通回語，而且學問淵博，德高望重，是回教界的名人。於是，鄭和就親自拜訪，哈三也含笑答應。如此一來，鄭和下西洋之時，遇到信奉回教者，不僅能夠語言溝通，同時不致誤觸回教禁忌，這都是鄭和縝密之處。

舌人之中除了包括精通各國語言者，還包括能講閩南語、閩北語、潮

大明國統兵大元帥鄭和征西圖
大明國統兵征西招討大元帥

州語、客家語的人。因爲東南亞一帶，原先即有這幾種籍貫的人，移民到當地。

舌人之外，還有農人，不但有農人，還帶有農具。鄭和帶去的農人，可說是中國最早的『農耕示範隊』。每到一地，開井汲水，播種耕作，教導當地人民插秧種田。

當鄭和翩然離去之時，就把這些農業成果，留給當地居民。完全是大家長的姿態，與西方人對待殖民地的苛刻剝削，完全大異其趣。這也是南洋一帶，迄今流傳鄭和事蹟的緣故。人們只有對喜愛的歷史人物，才會代代相傳，津津有味傳頌他的故事。

鄭和帶了舌人、農人都不希奇，妙的是他還帶去不少女人，並且規定是年老色衰的婦女，這就很有趣了。

依中國舊規矩，船上是不許載婦女的，當時民間流傳的一句話是：『有女同行，航行不利。』表面上看來，這是歧視女性，認爲女人不吉利。其實，眞正的道理是航行寂寞，若有女子在船上，異性相吸，船員很容易因爲爭風吃醋，惹起不必要的糾紛，你爭我奪，釀出事端。所以，歷來不准女子上船。

那麼鄭和爲什麼要載老嫗一塊走呢？原來是要老嫗幫忙縫衣製鞋。尤其中國過去穿的是布鞋，雖然輕軟舒適，用不到一個月，鞋底已經破孔了。鄭和一出海，便是兩萬多人，該要準備多少雙鞋才夠呢？

船員們聽說有女偕行，起先都很興奮，等到發現全是可以當祖母、母親的老人家，自然也不會表錯情了。這些老嫗因爲十分『安全』，也不至於造成『航行不利』的現象。

鄭和雖然不希望船員在船上談戀愛，惹風波，不過，當船靠岸之後，若是船員與當地女子滋生愛苗，他不但不禁止，而且還主婚，甚且教導接生。

說來叫人不敢相信，鄭和隨行，竟然還有兩位穩婆。

穩婆就是接生婆，也就是三姑六婆之一。三姑是道姑、尼姑、卦姑。六婆是牙婆（掮客）、媒婆、師婆（巫婆）、虔婆（女流氓）、藥婆、穩婆。中國舊家庭，稍微有些地位者，向來不許三姑六婆上門，嫌她們沒有知識，喜愛搬弄是非。

話又說回來，穩婆可是相當重要的。鄭和帶去的穩婆，不但協助中國女婿與當地女子婚後生子，並且指導當地落後地區女子接生。原來，許多落後地區，孩子生下後，隨便撿一塊髒石頭，用來割斷臍帶，小寶寶往往因而感染破傷風，生下來即夭折。

破傷風是一種由破傷風細菌侵入傷口引起的疾病。患者最初覺得頭頸僵硬，繼而四肢不能動彈，全身緊張痙攣，呼吸急促，心臟麻痺，體熱升高，終於不治。（破傷風一詞，在唐朝的醫書中即可見到，並不是外來語。）

鄭和船員的後代，因爲血統優良，具有好的遺傳，往往在當地，很容易冒出頭來，成爲一方領袖。泰國有一位鄭王，即爲中國人的後代。

在今天南洋，許多人自稱爲鄭和的後人，且引以爲傲。事實上，鄭和是太監，怎會有子孫？那祇是鄭和主持國際通婚之下的後裔罷了。

由此可見，鄭和不但思想開通，並且極具人情味，他自己無法結婚生子，卻有成人之美的好心腸，與一般太監大不相同。

鄭和的思慮周密，尚不止此，他的寶船之中尚有和尚、道士、算命先生，讓船員各取所需。

航海期間漫長而單調，船員會想念家小，會鬧情緒。中途大浪，會驚惶失措，會忐忑不安。鄭和都一一爲他們設想到了。

譬如一位船員，晚上做夢，夢到不祥之事，疑神疑鬼，擔心家中出了意外，鄭和就命道士作法驅魔。其實是驅趕船員心中的魔。因此，鄭和的船上有道觀、有佛堂、有算命攤子，一應俱全。

鄭和原是信仰回教，他也是虔誠的回教徒。不過，一般船員都信天后娘娘，開船之前必燒香膜拜，鄭和也鞠躬如儀，討個吉利，安定軍心。

鄭和下西洋，竟然船上有這麼多各色人等，眞讓人想不到，也不能不佩服鄭和的思慮周詳，事前準備工夫完備。一個人能成功眞是有他獨到之處。

閱讀心得

國家圖書館出版品預行編目資料

全新吳姐姐講歷史故事. 34. 明代/吳涵碧 著.
--初版.--臺北市；皇冠，1995〔民84〕
面；公分（皇冠叢書；第2391種）
ISBN 978-957-33-1170-6 （平裝）
1. 中國歷史

610.9　　　　84000130

皇冠叢書第2391種
第三十四集【明代】
全新吳姐姐講歷史故事〔注音本〕
作　者—吳涵碧
繪　圖—劉建志
發 行 人—平雲
出版發行—皇冠文化出版有限公司
台北市敦化北路120巷50號
電話◎02-27168888
郵撥帳號◎15261516號
皇冠出版社(香港)有限公司
香港銅鑼灣道180號百樂商業中心
19字樓1903室
電話◎2529-1778　傳真◎2527-0904
印　務—林佳燕
校　對—皇冠校對組
著作完成日期—1992年01月01日
香港發行日期—1995年09月25日
初版一刷日期—1995年10月01日
初版三十二刷日期—2021年05月
法律顧問—王惠光律師

讀者服務傳真專線◎02-27150507
電腦編號◎350034
ISBN◎978-957-33-1170-6
Printed in Taiwan
本書定價◎新台幣150元/港幣45元